EN COURS DE PUBLICATION :

MANUEL
D'HISTOLOGIE
PATHOLOGIQUE

PAR

V. CORNIL   ET   L. RANVIER

Professeur à la Faculté de médecine,
Membre de l'Académie de médecine,
Médecin de l'Hôtel-Dieu,

Professeur au Collège de France,
Membre de l'Institut,
Membre de l'Académie de médecine,

AVEC LA COLLABORATION DE MM.

A. BRAULT   M. LETULLE

Médecin de l'hôpital Lariboisière,
Chef des travaux pratiques d'anatomie
pathologique à la Faculté de médecine,

Professeur agrégé à la Faculté
de médecine,
Médecin de l'hôpital Boucicaut

Troisième édition entièrement refondue

Publiés :

TOME PREMIER

Par MM. CORNIL, RANVIER, BRAULT, Fernand BEZANÇON, Maurice CAZIN

GÉNÉRALITÉS SUR L'HISTOLOGIE NORMALE. — CELLULES ET TISSUS
NORMAUX. — GÉNÉRALITÉS SUR L'HISTOLOGIE PATHOLOGIQUE. — ALTÉ-
RATIONS DES CELLULES ET DES TISSUS. — DES INFLAMMATIONS.
DES TUMEURS. — NOTIONS ÉLÉMENTAIRES SUR LES BACTÉRIES.
LÉSIONS DES OS ET DES TISSUS CARTILAGINEUX. — ANATOMIE PATHO-
LOGIQUE DES ARTICULATIONS. — DES ALTÉRATIONS DU TISSU CONJONCTIF.
— LÉSIONS DES MEMBRANES SÉREUSES.

1 fort volume grand in-8, avec 369 gravures en noir et en couleurs..... 25 francs.

TOME DEUXIÈME

Par MM. DURANTE, JOLLY, DOMINICI, GOMBAULT, médecin des hôpitaux
et PHILIPPE

MUSCLES. — SANG ET HÉMATOPOIÈSE. — CERVEAU.
MOELLE. — NERFS.

1 fort volume grand in-8, avec nombreuses gravures en noir et en couleurs. 25 fr.

Les tomes III et IV, par MM. BRAULT, RICHE, GOMBAULT, MARIE,
TOUPET, MILIAN, CHATELLIER, LEGRY, CRIZTMAN, LETULLE, HALLÉ,
MORAX, DARIER, paraîtront à la fin de l'année 1904.

FÉLIX ALCAN, Éditeur

ANCIENNE LIBRAIRIE GERMER BAILLIÈRE ET Cⁱᵉ

MÉDECINE — SCIENCES

CATALOGUE

DES

Livres de Fonds

TABLE DES MATIÈRES

On peut se procurer tous les ouvrages
qui se trouvent dans ce Catalogue par l'intermédiaire des libraires
de France et de l'Étranger.

On peut également les recevoir franco par la poste,
sans augmentation des prix désignés, en joignant à la demande
des TIMBRES-POSTE FRANÇAIS ou un MANDAT sur Paris.

108, BOULEVARD SAINT-GERMAIN, 108

Au coin de la rue Hautefeuille

PARIS, 6ᵉ

MAI 1904

TRAITÉ MÉDICO-CHIRURGICAL
DE GYNÉCOLOGIE
PAR LES DOCTEURS

F. LABADIE-LAGRAVE
Médecin de la Charité.

F. LEGUEU
Professeur agrégé à la Faculté de médecine de Paris
Chirurgien des hôpitaux.

Troisième édition revue et augmentée.
1 fort volume gr. in-8, avec 378 figures en noir et en couleurs, cart. à l'angl. **25 fr.**

MANUEL POUR L'ÉTUDE
DES MALADIES DU SYSTÈME NERVEUX
Par le Dr **Maurice de FLEURY**

1 fort vol. gr. in-8, avec 133 gravures en noir et en couleurs, cart. à l'angl. **25 fr.**

BLESSURES
DU CRANE ET DE L'ENCÉPHALE
PAR COUP DE FEU
CHIRURGIE NERVEUSE
Par le Dr **H. NIMIER**
Professeur au Val-de-Grâce, Médecin principal de 1re classe.

1 fort vol. grand in-8, avec 158 gravures .... **15 fr.**

GUIDE PRATIQUE
DE CHIRURGIE INFANTILE
Par **E. ESTOR**
Professeur à la Faculté de médecine de Montpellier.

1 fort vol. in-8, avec gravures .... **10 fr.**

TRAVAIL ET PLAISIR
ÉTUDES EXPÉRIMENTALES DE PSYCHO-MÉCANIQUE
Par le Dr **Ch. FÉRÉ**
Médecin de Bicêtre

1 fort vol. grand in-8, avec 200 gravures .... **12 fr.**

ISOLEMENT ET PSYCHOTHÉRAPIE
TRAITEMENT DE L'HYSTÉRIE ET DE LA NEURASTHÉNIE
PRATIQUE DE LA RÉÉDUCATION MORALE ET PHYSIQUE
PAR LES DOCTEURS

Jean CAMUS   ET   **Ph. PAGNIEZ**
Anciens internes de la Salpêtrière.
Préface du **Professeur J. DÉJERINE**
Médecin de la Salpêtrière.

1 fort vol. grand in-8 .... **9 fr.**

TRAITÉ DE BIOLOGIE
Par **F. LE DANTEC**
Chargé du cours d'embryologie générale à la Sorbonne.

1 fort vol. grand in-8, avec 101 gravures .... **15 fr.**

COLLECTION MÉDICALE
Volumes in-16, cartonnés à l'anglaise, à 4 et à 3 francs

Naissance et mort. *Etude de socio-biologie et de médecine légale*, par le Dr G. MORACHE, prof. de médecine légale à l'Univ. de Bordeaux, associé de l'Académie de médecine... **4 fr.**

Grossesse et accouchement. *Etude de socio-biologie et de médecine légale*, par le **même.** **4 fr.**

Le mariage. *Etude de socio-biologie et de médecine légale*, par le même............. **4 fr.**

La profession médicale. *Ses droits, ses devoirs*, par le même.....'............. **4 fr.**

Les nouveaux traitements, par le Dr J. LAUMONIER. 2e édit.................... **4 fr.**

Manuel d'électrothérapie et d'électrodiagnostic, par le Dr E. ALBERT-WEIL. avec 80 gravures................................ **4 fr.**

L'hystérie et son traitement, par le Dr PAUL SOLLIER.................. **4 fr.**

Manuel de psychiatrie, par le Dr J. ROGUES DE FURSAC, médecin adjoint à l'asile de Clermont (Oise).................................. **4 fr.**

L'instinct sexuel. *Evolution, dissolution*, par le Dr Ch. FÉRÉ, médecin de Bicêtre, 2e éd. **4 fr.**

L'intubation du larynx chez l'enfant et l'adulte, par le Dr A. BONAIN, avec 42 gr. **4 fr.**

Les maladies de l'urèthre et de la vessie chez la femme, par le Dr KOLISCHER, professeur de gynécologie à Chicago Clinical School. Traduit de l'allemand par le Dr Beuttner, privat-docent à l'Université de Genève, avec gravures..................... **4 fr.**

L'éducation rationnelle de la volonté. *Son emploi thérapeutique*, par le Dr P.-E. LÉVY, préface de M. le *Professeur Bernheim.* 3e édition................... **4 fr.**

Manuel théorique et pratique d'accouchements, par le Dr A. POZZI, professeur à l'Ecole de médecine de Reims, avec 138 gravures. 4e édition................ **4 fr.**

Eléments d'anatomie et de physiologie génitales et obstétricales, par le même, avec 219 gravures .... **4 fr.**

La mort réelle et la mort apparente. Nouveaux procédés de diagnostic et traitement de la mort apparente, par le Dr S. ICARD, avec gravures. (*Ouvrage récompensé par l'Institut.*) **4 fr.**

La fatigue et l'entraînement physique, par le Dr Ph. TISSIÉ, préface de M. le *Professeur Bouchard*, avec gravures. 2e édition................ **4 fr.**

Morphinisme et morphinomanie, par le Dr P. RODET. (*Ouvrage couronné par l'Académie de médecine.*)............................ **4 fr.**

Hygiène de l'alimentation dans l'état de santé et de maladie, par le Dr J. LAUMONIER, avec gravures. 3e édition................ **4 fr.**

L'alimentation des nouveau-nés. *Hygiène de l'allaitement artificiel*, par le Dr S. ICARD, avec 80 gravures. (*Ouvrage couronné par l'Académie de médecine.*)................. **4 fr.**

L'hygiène sexuelle et ses conséquences morales, par le Dr S. RIBBING, professeur à l'Université de Lund (Suède). 2e édition................ **4 fr.**

Hygiène de l'exercice chez les enfants et les jeunes gens, par le Dr F. LAGRANGE, lauréat de l'Institut, 7e édition................ **4 fr.**

L'exercice chez les adultes, par le même. 4e édition.................... **4 fr.**

Hygiène des gens nerveux, par le Dr LEVILLAIN. 4e édition................ **4 fr.**

L'idiotie. *Psychologie et éducation de l'idiot*, par le Dr J. VOISIN, médecin de la Salpêtrière, avec gravures............................. **4 fr.**

La famille névropathique. *Hérédité, prédisposition morbide, dégénérescence*, par le Dr Ch. FÉRÉ, médecin de Bicêtre, avec gravures. 2e édition............ **4 fr.**

L'éducation physique de la jeunesse, par A. MOSSO, professeur à l'Université de Turin.................................... **4 fr.**

Manuel de percussion et d'auscultation, par le Dr P. SIMON, professeur à la Faculté de médecine de Nancy, avec gravures................ **4 fr.**

Le traitement des aliénés dans les familles, par le Dr Ch. FÉRÉ, médecin de Bicêtre. 2e édition.................................... **3 fr.**

Dans la même Collection :

MÉDECINE OPÉRATOIRE
par M. le Professeur FÉLIX TERRIER
Membre de l'Académie de médecine,
Professeur de clinique chirurgicale à la Faculté de médecine de Paris.

Petit manuel d'anesthésie chirurgicale, par les Drs FÉLIX TERRIER et M. PÉRAIRE, avec 37 gravures................................ **3 fr.**

Petit manuel d'antisepsie et d'asepsie chirurgicales, par les mêmes, avec 70 gravures.................................... **3 fr.**

L'opération du trépan, par les mêmes, avec 222 gravures.................... **4 fr.**

Chirurgie de la face, par les Drs FÉLIX TERRIER, GUILLEMAIN, chirurgien des hôpitaux, et MALHERBE, avec 214 gravures................ **4 fr.**

Chirurgie du cou, par les mêmes, avec 101 gravures.................... **4 fr.**

Chirurgie de la plèvre et du poumon, par les Drs FÉLIX TERRIER et E. REYMOND, avec 67 gravures.................................. **4 fr.**

Chirurgie du cœur et du péricarde, par les mêmes, avec 79 gravures.......... **3 fr.**

RÉCENTES PUBLICATIONS
MÉDICALES ET SCIENTIFIQUES

Pathologie et thérapeutique médicales.

ALBERT-WEIL (E.), chargé du service d'électrothérapie de la Clinique chirurgicale infantile de l'hôpital Tenon. **Manuel d'électrothérapie et d'électrodiagnostic.** 1902. ln-16, avec 80 fig. Cart. à l'angl. 4 fr.

BONAIN (A.), chirurgien de l'hôpital civil de Brest. **Traité de l'intubation du larynx chez l'enfant et chez l'adulte.** 1902. 1 vol. in-18, avec 50 fig. Cartonné à l'anglaise. 4 fr.

BOUCHUT ET DESPRÈS, professeurs agrégés à la Faculté de médecine de Paris. **Dictionnaire de médecine et de thérapeutique médicale et chirurgicale,** comprenant le résumé de la médecine et de la chirurgie, les indications thérapeutiques de chaque maladie, la médecine opératoire, les accouchements, l'oculistique, l'odontotechnie, les maladies d'oreille, l'électrisation, la matière médicale, les eaux minérales, et un formulaire spécial pour chaque maladie. 6ᵉ édit., très augmentée, 1895. 1 vol. in-4, avec 1001 figures dans le texte et 3 cartes: broché. 25 fr. — Relié. 30 fr.

CORNIL (V.), membre de l'Académie de médecine, professeur à la Faculté de médecine de Paris et BABES, professeur à la Faculté de médecine de Buôarest. **Les bactéries,** leur rôle dans l'histologie pathologique des maladies infectieuses. 2 vol. gr. in-8, contenant la description des méthodes de bactériologie. 3ᵉ édit., 1890, avec 385 fig. en noir et en couleurs dans le texte et 12 planches hors texte. 40 fr.

CORNIL (V.), RANVIER (L.), BRAULT et LETULLE. **Manuel d'histologie pathologique.** Tome I, 1901. 1 vol. grand in-8, avec gravures en noir et en couleurs. 3ᵉ édit., 25 fr. — Tome II., 1902. 1 vol. grand in-8, avec gravures en noir et en couleurs, 25 fr. (Voir détails page 2.)

DAVID, chirurgien-dentiste des hôpitaux de Paris. **Les microbes de la bouche.** 1 vol. in-8, avec 113 gravures en noir et couleurs, lettre-préface de M. PASTEUR. 10 fr.

FÉRÉ (Ch.), médecin de Bicêtre. **L'instinct sexuel.** *Évolution. Dissolution.* 2ᵉ édit. 1902. 1 vol. in-12, cart. 4 fr.

FINGER (Ernest), professeur à l'Université de Vienne. **La syphilis et les maladies vénériennes,** traduit de l'allemand, avec notes, par les docteurs DOYON et SPILLMAN. 2ᵉ édit.; 1900. 1 vol. in-8, avec 6 pl. en chromolithographie hors texte. 12 fr.

GLÉNARD, correspondant de l'Académie de médecine. **Les Ptoses viscérales.** 1899. 1 fort vol. in-8. 20 fr.

HÉRARD, CORNIL et HANOT. **La phtisie pulmonaire,** étude anatomo-pathologique et clinique. 2ᵉ édit. 1 vol. in-8, avec 65 fig. en noir et en couleurs et 2 planches. 20 fr.

ICARD (S.). **La femme pendant la période menstruelle,** étude de psychologie morbide et de médecine légale. 1 vol. in-8. 6 fr.

KOLISCHER, professeur de gynécologie à Chicago Clinical School. **Les maladies de l'urètre et de la vessie chez la femme,** traduit de l'allemand par le Dʳ BEUTTNER. 1900. 1 vol. in-12, avec grav. Cartonné à l'anglaise. 4 fr.

LABADIE-LAGRAVE, médecin de la Charité, et LEGUEU, professeur agrégé à la Faculté de médecine de Paris, chirurgien des hôpitaux, **Traité médico-chirurgical de gynécologie.** 1 vol. gr. in-8, avec 378 gr. dans le texte, cart. à l'angl. 3ᵉ édit., 1904. (*Couronné par l'Académie des sciences et par l'Académie de médecine*). 25 fr.

LABORDE (J.-V.), de l'Académie de médecine. **Les tractions rythmées de la langue** (traitement physiologique de la mort). 2ᵉ éd., 1897. 1 vol. in-12, avec gravures.   5 fr.

LAGRANGE (Fernand), lauréat de l'Académie des sciences et de l'Académie de médecine. **La médication par l'exercice.** 2ᵉ éd., 1904. 1 fort vol. in-8, avec 69 gravures dans le texte et une carte coloriée hors texte.   12 fr.

— **Les Mouvements méthodiques et la « mécanothérapie ».** 1899. 1 vol. grand in-8, avec 57 gravures.   10 fr.

— **Le traitement des affections du cœur par l'exercice et le mouvement.** 1903. 1 vol. in-8, avec figures dans le texte et une carte coloriée hors texte   6 fr.

LAUMONIER (J.). **Les nouveaux traitements.** 2ᵉ édit. 1904. 1 vol. in-16, cartonné à l'anglaise.   4 fr.

LEGUEU (Voir plus haut : LABADIE-LAGRAVE).

MARVAUD (A.), médecin inspecteur de l'armée, professeur agrégé au Val-de-Grâce. **Les maladies du soldat,** étude étiologique, épidémiologique, clinique et prophylactique. 1 vol. in-8. 1894. (*Ouvrage couronné par l'Académie des sciences*).   20 fr.

MOSSÉ (A.), professeur de clinique médicale à l'Université de Toulouse. **Le diabète et l'alimentation aux pommes de terre.** 1903. 1 vol. grand in-8, avec graphiques.   5 fr.

RILLIET et BARTHEZ. **Traité clinique et pratique des maladies des enfants.** 3ᵉ édition, refondue et augmentée par BARTHEZ et SANNÉ. — TOME Iᵉʳ. *Maladies du système nerveux, maladies de l'appareil respiratoire.* 1 fort vol. gr. in-8.   15 fr.

    TOME II. *Maladies de l'appareil circulatoire, de l'appareil digestif et de ses annexes, de l'appareil génito-urinaire, de l'appareil de l'ouïe, maladies de la peau.* 1 fort vol. gr. in-8.   14 fr.

    TOME III, terminant l'ouvrage. *Maladies spécifiques, maladies générales constitutionnelles.* 1 fort vol. gr. in-8.   25 fr.

SIMON (P.), professeur à la Faculté de médecine de Nancy. **Manuel de percussion et d'auscultation.** 1895. 1 vol. in-12, avec gravures, cartonné à l'anglaise.   4 fr.

SPRINGER. **La croissance.** Son rôle en pathologie. Essai de pathologie générale. 1 vol. in-8. 1890.   6 fr.

WIDE (A.), directeur de l'Institut orthopédique de l'État à Stockholm. **Traité de gymnastique médicale suédoise,** traduit, annoté et augmenté par le Dʳ BOURCARD, préface du Dʳ F. LAGRANGE. 1 vol. gr. in-8, avec 128 grav. dans le texte. 1898.   12 fr. 50

Revue de Médecine. Directeurs, MM. BOUCHARD, CHAUVEAU, LANDOUZY et LÉPINE ; Rédacteurs en chef, MM. LANDOUZY et LÉPINE ; Secrétaire de la rédaction, Dʳ JEAN LÉPINE (v. p. 30).

Maladies nerveuses et mentales

BERNARD-LEROY. **L'Illusion de fausse reconnaissance.** 1 vol. in-8. 1898.   5 fr.

BINET. **Les altérations de la personnalité.** 2ᵉ édit. In-8, cart. 6 fr.

CAMUS (J.) et PAGNIEZ (Ph.). **Isolement et psychothérapie.** *Traitement de l'hystérie et de la neurasthénie, pratique de la rééducation morale et physique.* Préface de M. le Pʳ DEJERINE. 1904. 1 vol. gr. in-8.   9 fr.

DAREL. **La Folie.** *Ses causes. Sa thérapeutique.* 1 v. in-8. 1901.   4 fr.

DEGA (Mˡˡᵉ G.). **Essai sur la cure préventive de l'hystérie féminine par l'éducation.** 1 vol. in-8. 1898.   3 fr.

DUMAS, chargé du cours de psychologie expérimentale à la Sorbonne. **La tristesse et la joie.** 1 vol. in-8. 1900.   7 fr. 50

FÉRÉ (Ch.), médecin de Bicêtre. **Le traitement des aliénés dans les familles.** 1 vol. in-18. 2e éd. Cart. à l'angl. 3 fr.

— **Les épilepsies et les épileptiques.** 1 vol. gr. in-8, avec 67 gravures et 12 planches hors texte. 20 fr.

— **Pathologie des émotions,** études cliniques et physiologiques. 1 vol. grand in-8, avec fig. 12 fr.

— **La Famille névropathique.** Théorie tératologique de l'hérédité et de la prédisposition morbides et de la dégénérescence. 1 vol. in-12. 2e éd., 1898, avec 25 grav. dans le texte, cart. à l'angl. 4 fr.

— **Dégénérescence et criminalité.** 1 vol. in-12. 3e édit. 1895. 2 fr. 50

FLEURY (Maurice de). **Introduction à la médecine de l'esprit.** 1 vol. in-8, avec fig. 6e éd., 1901. (*Couronné par l'Académie française et par l'Académie des sciences*).

— **Les grands symptômes neurasthéniques.** *Pathogénie et traitement.* 2e éd., 1902. 1 vol. in-8, avec figures. 7 fr. 50

— **Manuel pour l'étude des maladies du système nerveux.** 1904. 1 vol. gr. in-8, avec 133 grav. en noir et en couleurs, cart. à l'anglaise. 25 fr.

GRASSET, professeur de la Faculté de médecine de Montpellier. **Les maladies de l'orientation et de l'équilibre.** 1904. 1 vol. in-8, avec grav., cart. à l'angl. 6 fr.

ICARD (S.). **La femme pendant la période menstruelle,** étude de psychologie morbide et de médecine légale. 1 vol. in-8. 5 fr.

JANET (Pierre), professeur au Collège de France, et **RAYMOND** (F.), professeur de la clinique des maladies nerveuses à la Salpêtrière. **Névroses et idées fixes.** — I. *Études expérimentales sur les troubles de la volonté, de l'attention, de la mémoire, sur les émotions, les idées obsédantes et leur traitement,* par P. JANET. 1 vol. gr. in-8, avec 92 fig. 2e édit. 1904. 12 fr.

II. — *Névroses, maladies produites par les émotions, les idées obsédantes et leur traitement,* par F. RAYMOND et Pierre JANET. 1899. 1 vol. gr. in-8, avec 97 grav. 14 fr.

(*Ouvrage couronné par l'Académie des sciences et par l'Académie de médecine.*)

— **Les obsessions de la psychasthénie.** 1 — *Études cliniques et expérimentales sur les idées obsédantes, les impulsions, les manies mentales, la folie du doute, les tics, les agitatures, les phobies, les délires du contact, les angoisses, les sentiments d'incomplétude, la neurasthénie, les modificatures des sentiments du réel, leur pathogénie et leur traitement.* 1903. 1 vol. grand in-8, avec gravures. 18 fr.

II. — *États neurasthéniques, aboulies, incomplétude, agitations et angoisses diffuses, algies, phobies, délires du contact, tics, manies mentales, folies du doute, idées obsédantes, impulsions.* 1903. 1 vol. grand in-8, avec gravures. 14 fr.

LANGE, professeur à l'Université de Copenhague. **Les émotions.** **Étude psychophysiologique,** traduit de l'allemand par G. DUMAS. 2e édit., 1902. 1 vol. in-12. 2 fr. 50

LÉVY (P.-E.) **L'Éducation rationnelle de la volonté,** *son emploi thérapeutique.* Préface de M. le Prof. BERNHEIM. 4e édit., 1902. 1 vol. in-12, cart. à l'angl. 4 fr.

MAUDSLEY. Le crime et la folie. 1 vol. in-8. 6e édit. Cart. 6 fr.

RAYMOND (Le prof. F.). Voyez JANET (Pierre) et RAYMOND, ci-dessus.

RODET (P.) **Morphinisme et morphinomanie.** 1 vol. in-12, cart. à l'angl. (*Couronné par l'Académie de médecine.*). 4 fr.

ROGUES DE FURSAC (J.), ancien chef de clinique à la Faculté de Médecine de Paris. **Manuel de psychiatrie.** 1903. 1 vol. in-16, cartonné à l'anglaise. 4 fr.

SOLLIER (P.). **Genèse et nature de l'hystérie.** 2 vol. in-8. 1897. 20 fr.
— **L'hystérie et son traitement.** 1 vol. in-12, cart. 1901. 4 fr.
TISSIÉ (Ph.). **Les rêves,** pathologie, physiologie. 1 v. in-18. 2 fr. 50
VOISIN (Jules), médecin de la Salpêtrière. **L'idiotie,** *psychologie et éducation de l'idiot.* 1893. 1 vol. in-12.   4 fr.
— **L'Épilepsie.** 1 vol. gr. in-8. 1897 (*Cour. par l'Acad. de méd.*). 6 fr.

Psychologie expérimentale.

BINET (Alfred), directeur du laboratoire de psychologie physiologique à la Sorbonne. **La psychologie du raisonnement.** *Recherches expérimentales par l'hypnotisme.* 3e édit., 1903. 1 vol. in-18. 2 fr. 50
CRÉPIEUX-JAMIN (J.). **L'écriture et le caractère.** 4e édit., 1896. 1 vol. in-8.   7 fr. 50
DANVILLE (Gaston). **Psychologie de l'amour.** 3e édit., 1903. 1 vol. in-18.   2 fr. 50
EGGER (V.), professeur adjoint à la Sorbonne. **La parole intérieure.** 2e édit., 1904. 1 vol. in-8.   5 fr.
GLEY (E.), professeur agrégé de la Faculté de Médecine de Paris. **Études de psychologie physiologique et pathologique.** 1903. 1 vol. in-8.   5 fr.
GODFERNAUX (A.). **Le sentiment et la pensée et leurs principaux aspects physiologiques.** 1894. 1 vol. in-8.   5 fr.
HOFFDING, professeur à l'université de Copenhague. **Esquisse d'une psychologie fondée sur l'expérience,** trad. POITEVIN, préface de PIERRE JANET. 2e édit. 1903. 1 vol. in-8.   7 fr. 50
JAMES (William). **La théorie de l'émotion.** 1903. Trad. de l'anglais. Introd. par G. DUMAS, prof. à la Sorbonne. 1 vol. in-18.   2 fr. 50
JANET (Pierre), professeur au Collège de France. **L'automatisme psychologique.** 4e édit., 1904. 1 vol. in-8.   7 fr. 50
MALAPERT (P.). **Les éléments du caractère et leurs lois de combinaison.** 1897. 1 vol. in-8.   5 fr.
MOSSO, professeur à l'Université de Turin. **La peur.** *Étude psychophysiologique.* 2e édit., 1902. 1 vol. in-18, avec grav.   2 fr. 50
— **La fatigue intellectuelle et physique,** traduit de l'italien par P. LANGLOIS. 3e édit., 1903. 1 vol. in-18, avec grav. 2 fr. 50
PHILIPPE (J.), chef des travaux au laboratoire de psychologie physiologique à la Sorbonne. **L'image mentale.** 1903. 1 vol. in-18, avec figures.   2 fr. 50
PIDERIT. **La mimique et la physiognomonie,** traduit de l'allemand par M. GIROT. 1888. 1 vol. in-8, avec 100 grav.   5 fr.
RIBOT (Th.), de l'Institut, directeur de la *Revue philosophique.* **La psychologie de l'attention.** 6e édit., 1903. 1 vol. in-18. 2 fr. 50
— **L'hérédité psychologique.** 7e édit., 1904. 1 vol. in-8. 7 fr. 50
— **La psychologie des sentiments.** 4e édit., 1904. 1 vol. in-8.   7 fr. 50
SAINT-PAUL (G.), médecin-major de l'armée. **Le langage intérieur et les paraphasies** (*la fonction endophasique*). 1904. 1 vol. in-8.   fr.
SERGI, professeur à l'Université de Rome. **Éléments de psychologie.** 1888. 1 vol. in-8, avec grav.   7 fr. 50
SOLLIER (P.). **Le problème de la mémoire.** *Essai de psychomécanique.* 1900. 1 vol. in-8.   3 fr. 75
— **Les phénomènes d'autoscopie.** 1903. 1 vol. in-18, avec gravures.   2 fr. 50
TARDIEU (Émile). **L'ennui.** *Étude psychologique.* 1903. 1 vol. in-8. 5 fr.
THOMAS (P.-F.). **La suggestion,** *son rôle dans l'éducation.* 1895. 1 vol. in-18.   2 fr. 50

WUNDT. **Hypnotisme et suggestion**, traduit de l'allemand par E. KELLER. 2ᵉ édit., 1902. 1 vol. in-18. 2 fr. 50

Journal de psychologie normale et pathologique, par les professeurs PIERRE JANET et G. DUMAS. (Voir page 31.)

Psychologie pathologique.

DUPRAT. **L'instabilité mentale**, essai sur les données de la psychopathologie. 1 vol. in-8. 1899. 5 fr.
— **Les causes sociales de la folie.** 1900. 1 vol. in-12. 2 fr. 50
DURKHEIM (Em.), chargé de cours à la Sorbonne. **Le suicide.** 1 vol. in-8. 1897. 7 fr. 50
GURNEY, MYERS et PODMORE. **Les hallucinations télépathiques**, adaptation de l'anglais par L. MARILLIER, avec préface de M. Ch. RICHET 3ᵉ édit., 1899. 1 vol. in-8. 7 fr. 50
MURISIER, professeur à l'Université de Neufchâtel. **Les maladies du sentiment religieux.** 2 vol. in-12. 1903. 2 fr. 50
NORDAU (Max). **Dégénérescence.** 2 vol. in-8, 6ᵉ édit., 1903. 17 fr. 50
RIBOT (Th.), de l'Institut. **Les maladies de la mémoire.** 17ᵉ édit., 1903. 1 vol. in-18 2 fr. 50
— **Les maladies de la volonté.** 19ᵉ édit., 1904. In-18. 2 fr. 50
— **Les maladies de la personnalité.** 10ᵉ édit., 1903. In-18. 2 fr. 50
SOLLIER (P.). **Psychologie de l'idiot et de l'imbécile.** 2ᵉ édit., 1901, 1 vol. in-8, avec planches. 5 fr.

Hygiène. — Thérapeutique. — Pharmacie.

BOSSU. **Petit compendium médical.** Quintessence de pathologie, thérapeutique et médecine usuelle. 6ᵉ éd., 1901. 1 vol. in-32, cart. à l'angl. 1 fr. 25
BOUCHARDAT (A.) et (G.), membres de l'Académie de médecine. **Nouveau Formulaire magistral**, 1904, 33ᵉ édition, revue et augmentée de formules nouvelles, d'une *Note sur l'alimentation dans le diabète sucré* et de la *Liste complète des mets permis aux glycosuriques.* 1 vol. in-18, cartonné à l'anglaise. 4 fr.
BOUCHARDAT (A.) et DESOUBRY. **Nouveau formulaire vétérinaire.** 6ᵉ édit. conforme au nouveau Codex, revue et augmentée. 1904. 1 vol. in-18, cartonné à l'anglaise. 4 fr.
BOUCHARDAT (A.). **De la glycosurie ou diabète sucré**, son traitement hygiénique. 2ᵉ édition. 1 vol. grand in-8, suivi de notes et documents sur la nature et le traitement de la goutte, la gravelle urique, sur l'oligurie, le diabète insipide avec excès d'urée, l'hippurie, la pimélorrhée, etc. 15 fr.
— **Traité d'hygiène publique et privée** basée sur l'étiologie. 3ᵉ édition, 1 fort vol. gr. in-8. 18 fr.
DEMENY (G.), professeur du cours d'éducation physique de la Ville de Paris et de gymnastique appliquée à l'école de gymnastique militaire de Joinville-le-Pont. **Les bases scientifiques de l'éducation physique.** 2ᵉ édition, 1903. 1 vol. in-8, avec 198 fig. Cart. 6 fr.
— **Mécanisme et éducation des mouvements.** 2ᵉ édit., 1904. 1 vol. in-8, avec 565 figures, cartonné à l'anglaise. 9 fr.
DUFOUR (L.), pharmacien de 1ʳᵉ classe. **Manuel de pharmacie pratique.** 2ᵉ édit., 1903. 1 vol. in-18. 3 fr. 50
ICARD (S.). **L'alimentation des nouveau-nés.** Hygiène de l'allaitement artificiel. 1894. 1 vol. in-12, cart. à l'angl., avec 60 grav. 4 fr.
LAGRANGE (F.). **L'hygiène de l'exercice chez les enfants et les jeunes gens.** 7ᵉ éd., 1901. 1 vol. in-12, cartonné à l'angl. 4 fr.
— **De l'exercice chez les adultes.** 5ᵉ édit., 1904, 1 volume in-12, cart. à l'angl. 4 fr.

LAUMONIER (J.). Hygiène de l'alimentation dans l'état de santé et de maladie. 1 vol. in-12, 3° édit. 1904, cart. à l'angl., avec grav.   **4 fr.**

LAYET, professeur à la Faculté de médecine de Bordeaux. **Traité pratique de la vaccination animale,** préface du prof. BROUARDEL. 1 vol. gr. in-8, avec 22 pl. hors texte.   12 fr.

LEVILLAIN. Hygiène des gens nerveux, 1 vol. in-12. 4° éd., 1901, cart. à l'angl.   **4 fr.**

MACÉ, professeur à l'École de pharmacie de Rennes. **Traité pratique et raisonné de pharmacie galénique.** 1 vol. in-8.   **6 fr.**

Manuel d'hygiène athlétique, à l'usage des lycéens et des jeunes gens des associations athlétiques. 1 broch. in-32. 1895.   50 c.

MOSSO, professeur à l'Université de Turin. **L'éducation physique de la jeunesse.** 1 vol. in-12, cart. à l'angl. 1895.   **4 fr.**

— **Les exercices physiques et le développement intellectuel.** 1904. 1 vol. in-8°. Cartonné.   6 fr.

POSKIN (A.), ex-médecin de la C° des Chemins de fer du Congo. **L'Afrique équatoriale,** climatologie, nosologie, hygiène. 1 vol. in-8, avec fig. 1898.   12 fr.

RIBBING, prof. à l'Univ. de Lund (Suède). **L'hygiène sexuelle et ses conséquences morales.** 2° éd., 1901. In-12, cart.   **4 fr.**

TISSIÉ (Ph.). La fatigue et l'entraînement physique. 2° édit., 1 vol. in-12, cart. à l'angl. 1904. (*Couronné par l'Acad. de méd.*) 4 fr.

WEBER. Climatothérapie, traduit de l'allemand par MM. les docteurs DOYON et SPILLMANN. 1 vol. in-8.   6 fr.

YVERT (A.), médecin principal de l'armée en retraite. **Causeries sanitaires.** Tome I. 1903. 1 vol. in-8.   5 fr.

Pathologie et thérapeutique chirurgicales

BŒCKEL (Jules). De l'ablation de l'estomac. 1903. 1 vol. in-8, avec planches.   3 fr. 50

CHAUVEL, de l'Académie de médecine. **Études ophtalmologiques.** 1 vol., in-8, 1896.   5 fr.

CORNET. Pratique de la Chirurgie courante. Préface du professeur OLLIER. 1 fort vol. in-12, avec 111 gravures. 1900. 6 fr.

DE BOVIS, professeur à l'École de médecine de Reims. **Le cancer du gros intestin,** *rectum excepté.* 1901. 1 vol. in-8.   5 fr.

DELBET, professeur agrégé de la Fac. de méd. de Paris, chirurgien des hôpitaux. **Du traitement des anévrysmes.** 1 vol. in-8.   5 fr.

DELORME, médecin inspecteur de l'armée, directeur du Val-de-Grâce. **Traité de chirurgie de guerre.** — I. *Histoire de la chirurgie militaire française, plaies par armes à feu des parties molles.* 1 vol. gr. in-8, avec 95 fig. dans le texte et 1 planche hors texte.   16 fr.

II. *Lésions des os par les armes de guerre.* — *Blessures des régions.* — *Service de santé en campagne.* 1 fort vol. grand in-8, avec 397 gravures dans le texte.   26 fr.

(*Ouvrage couronné par l'Académie des sciences.*)

ESTOR (L.), professeur à la Faculté de médecine de Montpellier. **Guide pratique de chirurgie infantile.** 1904. 1 vol. in-8, avec gravures.   10 fr.

FRAISSE. Principes du diagnostic gynécologique. 1901. 1 vol. in-12, avec gravures.   5 fr.

GAYME (L.). Essai sur la maladie de Basedow. Gr. in-8. 6 fr.

LABADIE-LAGRAVE, médecin des hôpitaux de Paris, et LEGUEU, prof. agrégé à la Fac. de méd. de Paris, chirurgien des hôpitaux. **Traité médico-chirurgical de gynécologie.** 1 vol. gr. in-8, avec 387 gravures dans le texte. 3° édit., 1904. Cart. à l'anglaise. (*Couronné par l'Académie des sciences et par l'Académie de médecine.*) 25 fr.

LE FORT (Léon), professeur à la Faculté de médecine de Paris. **Œuvres complètes**, publiées par le Dr LEJARS (1895-1896). Tome I : *Hygiène hospitalière, démographie, hygiène publique*. 1 vol in-8, 20 fr. Tome II : *Chirurgie militaire, enseignement*. 1 vol. in-8, 20 fr. Tome III : *Chirurgie*. 1 vol. in-8. 20 fr.

LEGUEU (Félix), professeur agrégé à la Faculté de médecine de Paris, chirurgien des hôpitaux. **Leçons de clinique chirurgicale**. 1902. 1 vol. grand in-8, avec gravures. 12 fr.

LEGUEU (voir. ci-dessus LABADIE-LAGRAVE).

MALGAIGNE et LE FORT, professeurs à la Faculté de médecine de Paris. **Manuel de médecine opératoire**. 9e édit. 2 vol. gr. in-18, avec 787 fig. dans le texte. 16 fr. Cart. à l'anglaise. 17 fr. 50

NIMIER (H.), médecin principal de l'armée, professeur au Val-de-Grâce. *Chirurgie nerveuse*. **Blessures du crâne et de l'encéphale par coup de feu**. 1904. 1 vol. gr. in-8, avec 158 grav. 15 fr.

NIMIER, médecin principal de l'armée, professeur au Val-de-Grâce, et DESPAGNET. **Traité élémentaire d'ophtalmologie**. 1894. 1 vol. gr. in-8, avec 432 gravures, cart. à l'angl. 20 fr.

NIMIER, médecin principal de l'armée, professeur au Val-de-Grâce, et LAVAL. **Les projectiles des armes de guerre**. *Leur action et leurs effets vulnérants*. 1898. 1 vol. in-12, avec gravures. 3 fr.

— **Les explosifs, les poudres, les projectiles d'exercice**, *leur action vulnérante*. 1899. 1 vol. in-12, avec gravures. 3 fr.

— **Les armes blanches**. *Leur action et leurs effets vulnérants*. 1899. 1 fort vol. in-12, avec gravures. 6 fr.

(*Ces trois volumes ont été couronnés par l'Académie des sciences.*)

— **De l'infection en chirurgie d'armée**. *Évolution des blessures de guerre*. 1900. 1 fort vol. in-12, avec gravures. 6 fr.

— **Traitement des blessures de guerre**. 1901. 1 fort vol. in-12, avec gravures. 6 fr.

(*Ces cinq volumes ont été récompensés par l'Académie de médecine.* — *Prix Laborie.*)

POZZI (A.), professeur à l'École de médecine de Reims. **Manuel théorique et pratique d'accouchements**. 4e édit., 1904. 1 vol. in-12, avec 136 grav., cart. à l'angl. 4 fr.

REBLAUB (Th.). **Des cystites non tuberculeuses chez la femme** (étiologie et pathogénie). 1 vol. in-8. 1892. 4 fr.

TERRIER (F.), professeur à la Faculté de médecine de Paris, et PÉRAIRE. **Manuel de petite chirurgie de Jamain**. 8e éd., refondue. 1901. 1 vol. gr. in-18, avec 572 fig., cart. à l'angl. 8 fr.

— **Petit Manuel d'antisepsie et d'asepsie chirurgicales**. 1 vol. in-18, avec 70 grav., cart. à l'angl. 1893. 3 fr.

— **Petit manuel d'anesthésie chirurgicale**. 1 vol. in-18, avec grav., cart. à l'angl. 1893. 3 fr.

— **L'opération du trépan**. 1 vol. in-12, avec 222 grav., cart. à l'angl. 1895. 4 fr.

TERRIER (F.) et E. REYMOND. **Chirurgie de la plèvre et du poumon**. 1 vol. in-12, avec 67 gravures. cart. à l'anglaise. 1899. 4 fr.

— **Chirurgie du cœur et du péricarde**. 1 vol. in-12, avec 79 grav., cart. à l'anglaise. 1898. 3 fr.

TERRIER (F.), GUILLEMAIN, chir. des hôp., et MALHÉRBE. **Chirurgie du cou**. 1 vol. in-12, avec 101 grav., cart. à l'angl. 1898. 4 fr.

— **Chirurgie de la face**. 1 vol. in-12, avec 214 grav., cart. à l'angl. 1896. 4 fr.

TERRIER (F.) et AUVRAY, prof. agrégé à la Faculté de médecine de Paris. **Chirurgie du foie et des voies biliaires**. *Traumatismes du foie et des voies biliaires*. — *Foie mobile*. — *Tumeurs du foie et des voies biliaires*. 1901. 1 vol. gr. in-8, avec 50 gravures. 10 fr.

VALOIS. **Blessures par grains de plomb de l'organe de la vision.** 1896. 1 vol. in-8. 3 fr.

VIALET. **Les centres cérébraux de la vision et l'appareil nerveux visuel extra-cérébral.** Avec figures. In-8. 15 fr.

Congrès français de Chirurgie. *Procès-verbaux, mémoires et discussions*, publiés sous la direction de MM. S. Pozzi et Picqué, secrétaires généraux (Chaque session forme un vol. in-8, avec figures). 1re session, 1885, 14 fr.; 2e session, 1886, 14 fr.; 3e session, 1888, 14 fr.; 4e session, 1889, 16 fr.; 5e session, 1891, 14 fr.; 6e session, 1892, 16 fr.; 7e session, 1893, 18 fr.; 8e session, 1894, 20 fr.; 9e session, 1895, 20 fr.; 10e session, 1896, 20 fr.; 11e, session, 1897, 20 fr.; 12e session, 1898, 20 fr.; 13e session, 1899, 20 fr. 14e session, 1901, 20 fr.; 15e session, 1902, 20 fr. ; 16e session, 1903, 20 fr.

Revue de Chirurgie. Directeurs : MM. F. Terrier, Berger, Quénu, Poncet; Rédacteur en chef : M. F. Terrier. (Voir p. 30.)

Anatomie. — Physiologie.

ALEZAIS, professeur à l'École de médecine de Marseille. **Contribution à la myologie des rongeurs.** 1 vol. gr. in-8, avec grav. 10 fr.
— **Etudes anatomiques sur le cobaye.** 1903. 1 vol. grand in-8, avec figures. 8 fr.

ARLOING, professeur à la Faculté de médecine de Lyon. **Les virus.** 1 vol. in-8, avec grav., cart. 6 fr.

BEAUNIS (H.), professeur à la Faculté de médecine de Nancy. **Les sensations internes.** 1 vol. in-8, cart. 6 fr.

BERNSTEIN. **Les sens.** 1 vol. in-8, avec 91 fig., 5e édit., cart. 6 fr.

BERT (A.) et PELLANDA. **La nomenclature anatomique et ses origines.** *Explication des termes anciens employés de nos jours.* 1904. 1 vol. in-8. 2 fr.

BOURDEAU (L.). **Le problème de la mort.** 3e édit., 1900. 1 vol. in-8. 5 fr.
— **Le problème de la vie.** 1901. 1 vol. in-8. 7 fr. 50

CHARLTON BASTIAN. **Le cerveau.** 2 vol. in-8, avec grav. cart. 12 fr.

CORNIL, professeur à la Fac. de méd. de Paris, RANVIER, de l'Institut, professeur au Collège de France, BRAULT et LETULLE. **Manuel d'histologie pathologique.** 3e édit., entièrement refondue.

Tome I. *Généralités. — Inflammations. — Tumeurs. — Bactéries. Lésions des os, des tissus, des membranes séreuses,* par MM. Ranvier, Cornil, Brault, F. Bezançon, M. Cazin. 1 vol. gr. in-8, avec 369 grav. en noir et en couleurs. 1900. 25 fr.

Tome II. *Muscles. — Sang et hématopoïèse. — Cerveau et moelle. — Nerfs,* par MM. Durante, Joly, Dominici, Gombault, Philippe. 1 vol. gr. in-8, avec grav. en noir et en couleurs. 1902. 25 fr. L'ouvrage complet formera 4 volumes.

CORNIL et BABES, professeur à la Faculté de médecine de Bucarest. **Les bactéries** et leur rôle dans l'histologie pathologique des maladies infectieuses. 2 vol. gr. in-8, contenant la description des méthodes de bactériologie. 3e édit., 1890, avec 385 figures en noir et en coul. dans le texte, et 10 pl. hors texte. 40 fr.

DEBIERRE (Ch.), professeur à la Faculté de médecine de Lille. **Traité élémentaire d'anatomie de l'homme** (anatomie descriptive et dissection, avec notions d'organogénie et d'embryologie générale). 2 vol. grand in-8, avec 965 grav. en noir et en couleurs dans le texte. 1890-91. (*Couronné par l'Académie des sciences*). 40 fr.
    On vend séparément :
    Tome I. Manuel de l'amphithéâtre : *Système locomoteur, système vasculaire, nerfs périphériques.* 1 vol. in-8, avec 450 fig. 1890. 20 fr.
    Tome II. *Système nerveux central, organes des sens, splanchno-*

logie, système vasculaire, système nerveux périphérique. 1 vol. in-8, avec 515 gravures, 1891. 20 fr.

Les mêmes, en cart. anglais, 1 fr. 50 de plus par volume.

DEBIERRE (Ch.), professeur à la Faculté de Lille. **Atlas d'ostéologie,** comprenant les articulations des os et les insertions musculaires. 1 vol. in-4, avec 253 grav. en noir et couleurs, cart., 1895. 12 fr.

— **Leçons sur le péritoine.** 1900. 1 vol. in-8, avec 58 figures. 4 fr.

— **L'embryologie en quelques leçons.** 1902. 1 vol. in-8, avec figures. 4 fr.

DUVAL (Mathias), de l'Académie de médecine, prof. à la Fac. de méd. de Paris. **Le placenta des rongeurs.** 1 fort vol. in-4, avec 106 fig. dans le texte et un atlas de 22 pl. en taille-douce hors texte. 1893. 40 fr.

— **Le placenta des carnassiers.** 1 fort vol. in-4, avec 46 grav. dans le texte et un atlas de 13 planches en taille-douce. 1895. 25 fr.

— **Études sur l'embryologie des cheiroptères.** *L'ovule, la gastrula, le blastoderme et l'origine des annexes chez le murin.* 1 fort vol. in-8, avec 29 fig. dans le texte et 5 pl. en taille-douce, 1899. 15 fr.

FAU. **Anatomie des formes du corps humain,** à l'usage des peintres et des sculpteurs. 1 atlas in-folio de 25 planches, avec texte explicatif. Prix : fig. noires. 15 fr. — Figures coloriées. 30 fr.

FÉRÉ (Ch.), médecin de Bicêtre. **Travail et plaisir.** *Études expérimentales de psycho-mécanique*, 1904. 1 fort vol. gr. in-8. avec 200 figures. 12 fr.

GALIPPE (V.), de l'Académie de Médecine. **Étude sur l'hérédité des anomalies des maxillaires et des dents.** 1902. 1 vol. in-8. 1 fr. 50

GELLÉ (E.-M.), membre de la Société de biologie. **L'audition et ses organes.** 1 vol. in-8, avec grav., cart. à l'angl. 1899. 6 fr.

HERZEN. **Causeries physiologiques.** 1899. 1 vol. in-12. 3 fr. 50

KŒNIG (C.-J.). **Contribution à l'étude expérimentale des canaux semi-circulaires.** 1 vol. in-8. 1897. 3 fr. 50

LAGRANGE (F.), lauréat de l'Institut. **Physiologie des exercices du corps.** 1 vol. in-8. 7e édition, cart. à l'angl. 6 fr.

LANGLOIS (P.), professeur agrégé à la Faculté de médecine de Paris. **Les capsules surrénales.** 1 vol. in-8. 1897. 4 fr.

LE DANTEC (F.), chargé du cours d'embryologie générale à la Sorbonne. **Traité de biologie.** 1904. 1 fort vol. gr. in-8, avec 101 figures. 15 fr.

LIEBREICH (R.). **Atlas d'ophtalmoscopie.** 1 atlas in-4, avec 12 pl. en chromolithographie et texte explicatif. 3e édition. 40 fr.

MAYER (A.), **Essai sur la soif.** 1900. 1 vol. in-8. 3 fr.

NOÉ (Dr Joseph). **Recherches sur la vie oscillante.** *Étude de biodynamique.* 1903. 1 vol. in-8, avec figures. 7 fr.

POZZI (A.), professeur à l'École de médecine de Reims. **Éléments d'anatomie et de physiologie génitales et obstétricales,** à l'usage des sages-femmes. 1 vol. in-12, av. 219 grav. 1894. Cart. 4 fr.

PREYER, professeur à l'Université d'Iéna. **Éléments de physiologie générale,** traduit de l'allemand par M. Jules SOURY. 1 vol. in-8. 5 fr.

— **Physiologie spéciale de l'embryon.** 1 vol. in-8, avec fig. et 9 pl. hors texte. 7 fr. 50

RICHET (Ch.), professeur à la Faculté de médecine de Paris. **La chaleur animale.** 1 vol. in-8, avec fig., cart. 6 fr.

— **Physiologie,** travaux du laboratoire du prof. CH. RICHET.

Tome I. *Système nerveux, Chaleur animale.* (Épuisé.)

Tome II. *Chimie physiologique, Toxicologie.* In-8, avec 129 grav. dans le texte. 1893. 12 fr.

Tome III. *Chloralose, Sérothérapie,* etc. In-8, avec grav. 1894. 12 fr.

Tome IV. *Appareils glandulaires, nerfs et muscles, sérothérapie, chloroforme*. In-8, avec gravures. 1898. 12 fr.

Tome V. *Muscles et nerfs, Épilepsie, Zomothérapie, Réflexes psychiques*. In-8, avec gravures. 1902. 12 fr.

RICHET (Ch.), professeur à la Faculté de médecine de Paris. **Dictionnaire de physiologie**, publié avec le concours de savants français et étrangers. Formera 8 à 10 volumes gr. in-8, se composant chacun de 3 fascicules; chaque volume, 25 fr.; chaque fascicule, 8 fr. 50. 6 volumes parus:

Tome I (*A-Bac*). — Tome II (*Bac-Cer*). — Tome III (*Cer-Cob*).— Tome IV (*Coc-Dig*). — Tome V (*Dig-Coc*). — Tome VI (*Fiam-Gal.*).

SNELLEN. **Échelle typographique** pour mesurer l'acuité de la vision, 17ᵉ éd., 1904. 4 fr.

TOURNEUX (F.), prof. à la Faculté de médecine de Toulouse. **Atlas d'embryologie des organes génito-urinaires**. 1 vol. in-4. 40 fr.

Journal de l'anatomie et de la physiologie normales et pathologiques de l'homme et des animaux, dirigé par les prof. MATHIAS, DUVAL, RETTERER et TOURNEUX. (Voir p. 30.)

Physique. — Chimie.

BERTHELOT, de l'Institut. **La synthèse chimique**. 1 vol. in-8. 8ᵉ édit., cart. 6 fr.

— **La Révolution chimique, Lavoisier**. 1 vol. in-8, 2ᵉ éd., cart. 6 fr.

BLASERNA, prof. à l'Univ. de Rome, et HELMHOLTZ, prof. à l'Univ. de Berlin. **Le son et la musique**. 5ᵉ édit. 1 vol. in-8, avec fig., cart. 6 fr.

FUCHS. **Les volcans et les tremblements de terre**. 1 vol. in-8, avec fig. et 1 carte en couleurs. 6ᵉ édit., cart. 6 fr.

GRIMAUX, de l'Institut. **Chimie organique élémentaire**. 8ᵉ édit., 1901. 1 vol. in-12, avec figures, cart. 5 fr. 50

— **Chimie inorganique élémentaire**. 8ᵉ édit., 1901. 1 vol. in-12, avec figures, cart. 5 fr. 50

GUILLEMAIN, professeur de physique à l'Ec. de méd. d'Alger. **Génération de la voix et du timbre**. Préface de J . VIOLLE, de l'Institut, 2ᵉ édition, avec 122 gravures, 1 vol. in-8. 10 fr.

— **Les premiers éléments de l'acoustique musicale**. 1904. 1 vol. in-8, avec 53 gravures. 10 fr.

MALMEJAC (F.), pharmacien de l'armée. **L'eau dans l'alimentation**. 1902. 1 vol. in-8, avec figures, cartonné à l'anglaise. 6 fr.

PISANI. **Traité pratique d'analyse chimique qualitative et quantitative**, suivi d'un *traité d'Analyse au chalumeau*, 5ᵉ éd., 1900. 1 vol. in-12. 3 fr. 50

PISANI et DIRVELL. **La chimie du laboratoire**. 1 v. in-12, avec fig. dans le texte. 2ᵉ édit. revue. 1893. 4 fr.

ROOD, professeur à Columbian-College, de New-York. **Théorie scientifique des couleurs**. 1 vol. in-8, avec figures et une planche en couleurs hors texte. 2ᵉ édit. Cart. 6 fr.

SCHUTZENBERGER, de l'Institut. **Les fermentations**, avec figures dans le texte 1 vol. in-8. 6ᵉ édit., 1895. Cart. 6 fr.

STALLO. **La matière et la physique moderne**. In-8. 3ᵉ éd. Cart. 6 fr.

TYNDALL. **Les glaciers et les transformations de l'eau**, avec fig. 1 vol. in-8. 7ᵉ édit. Cart. 6 fr.

WURTZ, de l'Institut. **La théorie atomique**. In-8. 9ᵉ édit. Cart. 6 fr.

Botanique. — Géologie

BERTRAND (C.-Eg.), professeur à la Faculté des sciences de Lille. **Remarques sur le Lepidodendron Hartcourtii de Wittham**. 1 vol. in-8, avec planches. 10 fr.

CANDOLLE (de), correspondant de l'Institut. **L'origine des plantes cultivées.** 1 vol. in-8. 3e édition. Cart. 6 fr.

COOKE et BERKELEY. **Les champignons,** avec 110 figures dans le texte. 1 vol. in-8. 4e édit. Cart. 6 fr.

COSTANTIN (J.), professeur au Muséum d'histoire naturelle. **Les végétaux et les milieux cosmiques.** (Adaptation, évolution). 1 vol. in-8, avec 171 grav., cart. à l'angl. 1898. 8 fr.

— **La nature tropicale.** 1 vol. in-8, avec 166 gravures. Cartonné à l'angl. 1899. 6 fr.

DAUBRÉE, de l'Institut. **Les régions invisibles du globe et des espaces célestes.** In-8, avec 89 fig. 2e éd. 6 fr.

HALLEZ (Paul), professeur à la Faculté de médecine de Lille. **Morphologie générale et affinités des turbellariées.** 1 vol. in-8. 2 fr.

HOUDAILLE, prof. à l'école d'agriculture de Montpellier. **Minéralogie agricole.** 1 vol, in-12, avec gravures. 3 fr. 50

DE LANESSAN, professeur agrégé à la Faculté de médecine de Paris. **Introduction à la botanique** (le Sapin). 1 vol. in-8, avec fig. 2e édit., 1898. Cart. 6 fr.

MEUNIER (Stanislas), professeur au Muséum d'histoire naturelle. **La géologie comparée.** 1vol. in-8, avec grav. 1895. Cart. à l'angl. 6 fr.

— **La géologie expérimentale.** 1 vol. in-8, avec grav. 2e édit. 1904. Cart. à l'angl. 6 fr.

— **La géologie générale.** In-8, avec 36 grav. Cart. à l'angl. 6 fr.

MOUILLEFERT (P.), professeur de sylviculture à l'Ecole nationale d'agriculture de Grignon. **Traité de sylviculture.** I. *Principales essences forestières.* 1903. 1 vol. in-12, avec 630 gravures. 7 fr.

— II. *Exploitation et aménagement des forêts.* 1904. 1 vol. in-12, avec 100 gravures. 6 fr.

DE SAPORTA, correspondant de l'Institut, et MARION, professeur à la Faculté des sciences de Marseille. **L'évolution du règne végétal.** Tome I : *Les Cryptogames.* In-8, avec 85 fig., 6 fr. Tomes II et III : *Les Phanérogames.* 2 vol. in-8, avec 136 fig. 12 fr.

TROUESSART. **Les microbes, les ferments et les moisissures.** 1 vol. in-8, avec 107 fig. 2e édit. revue. Cart. 6 fr.

Histoire naturelle de l'homme et des animaux

BELZUNG, professeur agrégé des sciences naturelles au Lycée Charlemagne, docteur ès sciences. **Anatomie et physiologie animales.** 1 vol. in-8, avec 540 figures. 10e édit., 1904. 6 fr.

— **Anatomie et physiologie végétales.** 1900. 1 fort vol. in-8, avec 1700 gravures dans le texte. 20 fr.

— **Précis d'anatomie et physiologie végétales.** 1 vol. in-8, avec 730 grav. 1904. 6 fr.

GRASSET, professeur à la Faculté de médecine de Montpellier. **Les limites de la biologie.** 1 vol. in-16. 2e édit. 1903. 2 fr. 50

HERBERT SPENCER. **Principes de biologie.** 2 vol. in-8. 20 fr.

HUXLEY (Th.), de la Société royale de Londres. **L'écrevisse,** introduction à l'étude de la zoologie. 1 vol. in-8, avec 89 fig. 2e éd. Cart. 6 fr.

LE DANTEC (F.), chargé du cours d'embryologie générale à la Sorbonne. **Traité de biologie.** 1904. 1 vol. gr. in-8, avec 101 grav. 15 fr.

LUBBOCK (Sir John). **Les sens et l'instinct chez les animaux,** principalement chez les insectes. 1 vol. in-8, avec grav. Cart. 6 fr.

PERRIER, de l'Institut, directeur du Muséum d'histoire naturelle de Paris. **La philosophie zoologique avant Darwin.** 1 vol. in-8, 2e édit. Cart. 6 fr.

QUATREFAGES (de), de l'Institut. **L'espèce humaine.** 1 vol. in-8. 10e édit. Cart. 6 fr.

— **Darwin et ses précurseurs français.** 1 vol. in-8. 2e édit. 1892. Cart. 6 fr.

— **Les Émules de Darwin,** avec préface de MM. PERRIER et HAMY, de l'Institut. 1893. 2 vol. in-8. Cart. 12 fr.

ROCHÉ (G.), inspecteur général des Pêches maritimes. **La culture des mers en Europe.** 1898. 1 vol. in-8, avec 84 gr., cart. à l'angl. 6 fr.

ROMANES. **L'intelligence des animaux.** 2 vol. in-8. 3e édit., avec préface de M. Ed. PERRIER, de l'Institut. Cart. 12 fr.

SCHMIDT (O.), professeur à l'Université de Strasbourg. **La descendance de l'homme et le darwinisme.** In-8, 5e édit. Cart. 6 fr.

— **Les mammifères dans leurs rapports avec leurs ancêtres géologiques.** 1887. 1 vol. in-8, avec 51 fig. Cart. 6 fr.

VAN BENEDEN, professeur à l'Université de Louvain. **Les commensaux et les parasites dans le règne animal.** 1 vol. in-8, avec figures. 4e édit. Cart. 6 fr.

VIANNA DE LIMA. **L'homme selon le transformisme.** In-12. 2 fr. 50

Anthropologie.

BRUNACHE. **Le centre de l'Afrique.** Autour du Tchad. 1 vol. in-8, avec gravures. Cart. 6 fr.

CARTAILHAC. **La France préhistorique.** 1 vol. in-8, avec 162 gravures. 2e édit., 1895. Cart. 6 fr.

GROSSE. **Les débuts de l'art.** 1901. 1 vol. in-8, avec gravures et planchés. Cart. 6 fr.

LUBBOCK (Sir John). **L'homme préhistorique,** avec 256 fig. 4e édit., 1898. 2 vol. in-8. Cart. 12 fr.

MORACHE (G.), professeur à la Faculté de médecine de Bordeaux. **Le mariage,** étude de socio-biologie et de médecine légale. 1 vol. in-12. Cartonné. 4 fr.

— **Grossesse et accouchement.** 1903. 1 vol. in-16. Cartonné. 4 fr.

— **Naissance et mort.** 1 vol. in-16. Cartonné. 4 fr.

MORTILLET (G. de), professeur à l'École d'anthropologie. **La formation de la nation française.** 2e édit., 1900. 1 vol. in-8, avec 150 grav. et 18 cartes. Cartonné à l'angl. 6 fr.

PIÉTREMENT. **Les chevaux dans les temps historiques et préhistoriques.** 1 vol. gr. in-8. 6 fr.

TOPINARD. **L'homme dans la nature.** 1 vol. in-8, avec grav. 1891. Cart. 6 fr.

Revue de l'École d'anthropologie. (Voir p. 30).

Anthropologie criminelle.

AUBRY (Dr P.). **La contagion du meurtre.** 3e édit., 1896. Préface de M. le Docteur CORRE. 1 vol. in-8. 5 fr.

FÉRÉ (Ch.), médecin de Bicêtre. **Dégénérescence et criminalité.** 2e édit., 1895. 1 vol. in-18, avec 21 graphiques. 2 fr. 50

FLEURY (Dr Maurice de). **L'Ame du criminel.** In-18. 1898. 2 fr. 50

FOREL (A.), ancien professeur à l'Université, et MAHAIM, professeur à l'Université de Lausanne. **Crime et anomalies mentales constitutionnelles.** 1902. 1 vol. in-8. 5 fr.

GAROFALO, président à la Cour d'appel de Naples. **La criminologie.** 1 vol. in-8, 4e édit., 1895. 7 fr. 50

LOMBROSO, professeur à l'Université de Turin. **Nouvelles recherches de psychiatrie et d'anthropologie criminelle.** In-18. 2 fr. 50

LOMBROSO, professeur à l'Université de Turin. **Les applications de l'anthropologie criminelle.** 1 vol. in-18. 2 fr. 50
— **L'anthropologie criminelle et ses récents progrès.** 5e éd., 1904. 1 vol. in-18. 2 fr. 50
— **L'homme criminel** (criminel-né, fou-moral, épileptique). 2e édit., 1895. 2 vol. in-8, avec atlas. 36 fr.
— et FERRERO. **La femme criminelle et la prostituée.** 1 vol. in-8, avec 13 pl. hors texte. 15 fr.
— et LASCHI. **Le crime politique et les révolutions.** 2 vol. in-8, avec planches hors texte. 15 fr.
PROAL (Louis), conseiller à la Cour de Paris. **La criminalité politique.** 1895. 1 vol. in-8. 5 fr.
— **Le crime et la peine.** 3e édit., 1899. 1 vol. in-8. 10 fr.
— **Le crime et le suicide passionnels.** 1900. 1 vol. in-8. 10 fr.
SIGHELE, professeur à l'Université libre de Bruxelles. **La foule criminelle.** 2e édit., 1901. 1 vol. in-8. 5 fr.
TARDE (G.), de l'Institut. **La criminalité comparée.** 5e édit., 1902. 1 vol. in-18. 2 fr. 50

Hypnotisme et magnétisme. — Sciences occultes.

AZAM, professeur à la Faculté de médecine de Bordeaux. **Hypnotisme et double conscience,** avec préfaces et lettres de MM. PAUL BERT, CHARCOT et RIBOT. 1893. 1 vol. in-8. 9 fr.
BINET. **La psychologie du raisonnement,** étude expérimentale par l'hypnotisme. 3e édit. 1903. 1 vol. in-18. 2 fr. 50
— et FÉRÉ. **Le magnétisme animal.** 4e éd., 1894. 1 vol. in-8, avec fig. Cartonné. 6 fr.
CAHAGNET. **Méditations d'un penseur,** 2 vol. in-18. 10 fr.
DELBŒUF (J.), professeur à l'Université de Liège. **Le magnétisme animal.** In-8, 1889. 2 fr. 50
— **Magnétiseurs et médecins.** 1 broch. in-8, 1890. 2 fr.
DU POTET. **Traité complet de magnétisme,** cours en douze leçons. 5e édition. 1 vol. in-8. 8 fr.
— **Manuel de l'étudiant magnétiseur,** ou Nouvelle instruction pratique sur le magnétisme, fondée sur *trente années* d'expériences et d'observations. 4e édit. 1 vol. gr. in-18. 3 fr. 50
— **Le magnétisme opposé à la médecine.** In-8. 6 fr.
DURAND DE GROS. **Le Merveilleux scientifique.** Mesmérisme, Braidisme, Fario-Grimisme. 1894. 1 vol. grand in-8. 6 fr.
— **Les mystères de la suggestion.** 1 br. in-8. 1896. 1 fr.
ELIPHAS LEVI. **Histoire de la magie,** avec une exposition de ses procédés, de ses rites et de ses mystères. In-8, avec 90 fig. 2e éd. 12 fr.
— **La clef des grands mystères,** suivant Hénoch, Abraham, Hermès Trismégiste et Salomon. 1 vol. in-8. 12 fr.
— **Dogme et rituel de la haute magie.** 2e édit. 2 vol. in-8, avec 24 fig. 18 fr.
— **La science des esprits,** révélation du dogme secret des cabalistes, esprit occulte des Évangiles, appréciations des doctrines et des phénomènes spirites. 1 vol. in-8. 7 fr.
ENCAUSSE (Papus). **L'occultisme et le spiritualisme.** 2e édit. 1903. 1 vol. in-16. 2 fr. 50
GYEL (E.). **L'être subconscient.** 1 vol. in-8. 1898. 4 fr.
JANET (Pierre), professeur au Collège de France. **L'automatisme psychologique.** 1 vol. in-8. 4e édit. 1904. 7 fr. 50

LAFONTAINE. L'art de magnétiser, ou le magnétisme vital au point de vue théorique, pratique et thérapeutique. 7e édit. in-8. 5 fr.
— Mémoires d'un magnétiseur. 2 vol. in-18. 7 fr.
MAXWELL (J.), docteur en médecine, avocat général à la Cour d'appel de Bordeaux. Les phénomènes psychiques. Recherches, observations, méthodes. Préface du professeur Ch. RICHET. 2e édit. 1904. 1 vol. in-8. 5 fr.
MESMER. Mémoires et aphorismes, suivis des procédés de d'Eslon. Nouv. édit. avec des notes par J.-J.-A. Ricard. In-18. 2 fr. 50
NIZET (A.). L'Hypnotisme, étude critique. 1 vol. in-12, 2e éd. 2 fr. 50
SAGE (M.). Le sommeil naturel et l'hypnose. 1904. In-18. 3 fr. 50
WUNDT. Hypnotisme et suggestion. 2e éd. 1902. 1 vol. in-18. 2 fr. 50

Histoire des sciences.

ALEZAIS, professeur à l'École de médecine de Marseille. Les anciens chirurgiens et barbiers de Marseille. 1900. 1vol. in-8. 3 fr. 50
BOUCHUT, prof. agrégé à la Fac. de méd. de Paris. Histoire de la médecine et des doctrines médicales. 2 vol. in-8. 16 fr.
FERRARI (Dr). Une chaire de médecine au XVe siècle à l'Université de Pavie. 1 vol. in-8. 8 fr.
FIGARD (L.), docteur ès lettres. Un médecin philosophe au XVIe siècle. Jean Fernel. 1903. 1 vol. in-8. 7 fr. 50
GRIMAUX (Ed.), de l'Institut. Lavoisier (1743-1794), d'après sa correspondance, ses manuscrits, ses papiers de famille et d'autres documents inédits. 3e édit., 1899. 1 beau vol. grand in-8, avec 10 gravures hors texte, en taille-douce et en typographie. 15 fr.
MAINDRON (E.). L'Académie des sciences. Histoire de l'Académie; fondation de l'Institut national; Bonaparte, membre de l'Institut. 1 fort vol. grand in-8, avec 53 gravures dans le texte, portraits, plans, etc.; 8 planches hors texte et 2 autographes. 12 fr.
NICAISE, de l'Académie de médecine. La grande Chirurgie de Guy de Chauliac, chirurgien, maître en médecine de l'Université de Montpellier, composée en l'an 1363, revue et collationnée sur les manuscrits et imprimés latins et français, ornée de gravures avec notes, une introduction sur le moyen âge, sur la vie et les œuvres de Guy de Chauliac, un glossaire et une table alphabétique, par E. NICAISE. 1 fort vol. grand in-8. 1891. 28 fr.
— Traité de chirurgie de Henri de Mondeville, revu et collationné d'après les manuscrits du XIVe siècle. 1 vol. grand in-8, avec introduction et notes, par E. NICAISE. 1892. 28 fr.
— Chirurgie de Pierre Franco de Turriers en Provence, composée en 1561, nouvelle édition, avec une introduction historique, une biographie et l'histoire du collège de chirurgie, par E. NICAISE. 1 vol. gr. in-8, avec grav. 1894. 20 fr.
TANNERY (P.). Pour la science hellène, de Thalès à Empédocle. 1 vol. in-8. 7 fr. 50
TRIAIRE (P.). Bretonneau et ses correspondants, ouvrage comprenant la correspondance de TROUSSEAU et de VELPEAU avec BRETONNEAU, et une introduction du Dr LEREBOULLET. 2 beaux volumes in-8. 25 fr.

BIBLIOTHÈQUE SCIENTIFIQUE
INTERNATIONALE
Publiée sous la direction de M. Émile ALGLAVE

Les titres marqués d'un astérisque * sont adoptés par le *Ministère de l'Instruction publique de France* pour les bibliothèques des lycées et des collèges.

LISTE DES OUVRAGES

63-64. SIR JOHN LUBBOCK. * **L'Homme préhistorique.** 2 vol. in-8, avec 228 figures dans le texte. 4ᵉ édit. 12 fr.

65. RICHET (Ch.). **La Chaleur animale.** 1 vol. in-8, avec figures. 6 fr.

66. FALSAN (A.). ***La Période glaciaire.** 1 vol. in-8, avec 105 figures et 2 cartes. *Épuisé*.

67. BEAUNIS (H.). **Les Sensations internes.** 1 vol. in-8. 6 fr.

68. CARTAILHAC (E.). **La France préhistorique**, d'après les sépultures et les monuments. 1 vol. in-8, avec 162 figures. 2ᵉ édit. 6 fr.

69. BERTHELOT.***La Révol. chimique, Lavoisier.** 1 vol. in-8. 2ᵉ éd. 6 fr.

70. SIR JOHN LUBBOCK. * **Les Sens et l'instinct chez les animaux**, principalement chez les insectes. 1 vol. in-8, avec 150 figures. 6 fr.

71. STARCKE. ***La Famille primitive.** 1 vol. in-8. 6 fr.

72. ARLOING. * **Les Virus.** 1 vol. in-8, avec figures. 6 fr.

73. TOPINARD. ***L'Homme dans la Nature.** 1 vol. in-8, avec fig. 6 fr.

74. BINET (Alf.).***Les Altérations de la personnalité.** 1 vol. in-8, avec figures. 2ᵉ édit. 6 fr.

75. DE QUATREFAGES (A.).***Darwin et ses précurseurs français.** 1 vol. in-8. 2ᵉ édition refondue. 6 fr.

76. LEFÈVRE (A.). * **Les Races et les langues.** 1 vol. in-8. 6 fr.

77-78. DE QUATREFAGES (A.).***Les Émules de Darwin.** 2 vol. in-8, avec préfaces de MM. E. PERRIER et HAMY. 12 fr.

79. BRUNACHE (P.).***Le Centre de l'Afrique. Autour du Tchad.** 1 vol. in-8, avec figures. 6 fr.

80. ANGOT (A.). ***Les Aurores polaires.** 1 vol. in-8, avec figures. 6 fr.

81. JACCARD. ***Le pétrole, le bitume et l'asphalte** au point de vue géologique. 1 vol. in-8, avec figures. 6 fr.

82. MEUNIER (Stan.). ***La Géologie comparée.** 2ᵉ éd. In-8, avec fig. 6 fr.

83. LE DANTEC. ***Théorie nouvelle de la vie.** 3ᵉ éd. 1 v. in-8, avec fig. 6 fr.

84. DE LANESSAN.* **Principes de colonisation.** 1 vol. in-8. 6 fr.

85. DEMOOR, MASSART et VANDERVELDE. ***L'évolution régressive en biologie et en sociologie.** 1 vol. in-8, avec gravures. 6 fr.

86. MORTILLET (G. de). ***Formation de la Nation française.** 2ᵉ édit. 1 vol. in-8, avec 150 gravures et 18 cartes. 6 fr.

87. ROCHÉ (G.). ***La Culture des Mers** (piscifacture, pisciculture, ostréiculture). 1 vol. in-8, avec 81 gravures. 6 fr.

88. COSTANTIN (J.). ***Les Végétaux et les Milieux cosmiques** (adaptation, évolution). 1 vol. in-8, avec 171 gravures. 6 fr.

89. LE DANTEC. **L'évolution individuelle et l'hérédité.** 1 vol. in-8. 6 fr.

90. GUIGNET et GARNIER. ***La Céramique ancienne et moderne.** 1 vol., avec grav. 6 fr.

91. GELLÉ (E.-M.). * **L'audition et ses organes.** 1 v. in-8, avec gr. 6 fr.

92. MEUNIER (St.). ***La Géologie expérimentale.** 2ᵉ éd. In-8, av. gr. 6 fr.

93. COSTANTIN (J.). ***La Nature tropicale.** 1 vol. in-8, avec grav. 6 fr.

94. GROSSE (E.). ***Les débuts de l'art.** Introduction de L. MARILLIER. 1 vol in-8, avec 32 gravures dans le texte et 3 pl. hors texte. 6 fr.

95. GRASSET (J.). **Les Maladies de l'orientation et de l'équilibre.** 1 vol. in-8, avec gravures. 6 fr.

96. DEMENŸ (G.). ***Les bases scientifiques de l'éducation physique.** 1 vol. in-8, avec 198 gravures. 2ᵉ édit. 6 fr.

97. MALMÉJAC (F.). ***L'eau dans l'alimentation.** 1 v. in-8, av. grav. 6 fr.

98. MEUNIER (Stan.). ***La géologie générale.** 1 v. in-8; av. grav. 6 fr.

99. DEMENŸ (G.). **Mécanisme et éducation des mouvements.** 2ᵉ édit. 1 vol. in-8, avec 565 gravures. 9 fr.

100. BOURDEAU (L.). **Histoire de l'habillement et de la parure.** 1 vol. in-8 6 fr.

101. MOSSO (A.). **Les exercices physiques et le développement intellectuel.** 1 vol. in-8. 6 fr.

102. LE DANTEC. **Les lois naturelles.** 1 vol. in-8, avec gravures. 6 fr.

LISTE PAR ORDRE DE MATIÈRES
DES 102 VOLUMES PUBLIÉS

DE LA BIBLIOTHÈQUE SCIENTIFIQUE INTERNATIONALE
Volumes in-8, cartonnés à l'anglaise à 6, 9 et 12 francs.

SCIENCES SOCIALES

* Introd. à la science sociale, par HERBERT SPENCER. 1 vol. in-8. 13° éd. 6 fr.
* Les Bases de la morale évolutionniste, par HERBERT SPENCER. 1 vol. in-8. 6° édit. . 6 fr.

Les Conflits de la science et de la religion, par DRAPER, professeur à l'Université de New-York. 1 vol. in-8. 10° édit. 6 fr.
* Le Crime et la Folie, par H. MAUDSLEY, professeur de médecine légale à l'Université de Londres. 1 vol. in-8. 7° édit. 6 fr.
* La Monnaie et le Mécanisme de l'échange, par W. STANLEY JEVONS, professeur à l'Université de Londres. 1 vol. in-8. 5° édit. 6 fr.
* La Sociologie, par DE ROBERTY. 1 vol. in-8. 3° édit. 6 fr.
* La Science de l'éducation, par Alex. BAIN, professeur à l'Université d'Aberdeen (Écosse). 1 vol. in-8. 9° édit. 6 fr.
* Lois scientifiques du développement des nations, par W. BAGEHOT. 1 vol. in-8. 6° édit. 6 fr.
* La Vie du langage, par D. WHITNEY, professeur de philologie comparée à Yale-Collège de Boston (États-Unis). 1 vol. in-8. 3° édit. 6 fr.
* La Famille primitive, par J. STARCKE, prof. à l'Univ. de Copenhague. 1 vol. in-8. 6 fr.
* Principes de colonisation, par J.-L. de LANESSAN, prof. à la Faculté de médecine de Paris, ancien gouverneur de l'Indo-Chine. 1 vol. in-8. 6 fr.

PHYSIOLOGIE

* Les Illusions des sens et de l'esprit, par James SULLY. 1 v. in-8. 2° édit. 6 fr.
* La Locomotion chez les animaux (marche, natation et vol), par J.-B. PETTIGREW, professeur au Collège royal de chirurgie d'Édimbourg (Écosse). 1 vol. in-8, avec 140 figures dans le texte. 2° édit. 6 fr.
* La Machine animale, par E.-J. MAREY, membre de l'Institut, prof. au Collège de France. 1 vol. in-8, avec 117 figures. 6° édit. 6 fr.
* Les Sens, par BERNSTEIN, professeur de physiologie à l'Université de Halle (Prusse). 1 vol. in-8, avec 91 figures dans le texte. 4° édit. 6 fr.
* Les Organes de la parole, par H. DE MEYER, professeur à l'Université de Zurich, traduit de l'allemand et précédé d'une introduction sur l'*Enseignement de la parole aux sourds-muets*, par O. CLAVEAU, inspecteur général des établissements de bienfaisance. 1 vol. in-8, avec 51 grav. 6 fr.

La Physionomie et l'Expression des sentiments, par P. MANTEGAZZA, professeur au Muséum d'histoire naturelle de Florence. 1 vol. in-8, avec figures et 8 planches hors texte. 3° édit. 6 fr.
* Physiologie des exercices du corps, par le docteur F. LAGRANGE. 1 vol. in-8. 7° édit. (Ouvrage couronné par l'Institut.) 6 fr.

La Chaleur animale, par CH. RICHET, professeur de physiologie à la Faculté de médecine de Paris. 1 vol. in-8, avec figures dans le texte. 6 fr.
Les Sensations internes, par H. BEAUNIS. 1 vol. in-8. 6 fr.
* Les Virus, par M. ARLOING, professeur à la Faculté de médecine de Lyon, directeur de l'Ecole vétérinaire. 1 vol. in-8, avec fig. 6 fr.
* Théorie nouvelle de la vie, par F. LE DANTEC, chargé du cours d'embryologie générale à la Sorbonne. 3° édit. 1 vol. in-8, avec figures 6 fr.
L'évolution individuelle et l'hérédité, par *le même*. 1 vol. in-8. 6 fr.
* L'audition et ses organes, par le Dr E.-M. GELLÉ, membre de la Société de biologie. 1 vol. in-8, avec grav. 6 fr.
* Les bases scientifiques de l'éducation physique, par G. DEMENY, chargé du cours d'éducation physique de la Ville de Paris, professeur à l'Ecole de gymnastique militaire de Joinville-le-Pont. 1 v. in-8, av. 196 gr. 2° édit. 6 fr.
Mécanisme et éducation des mouvements, par *le même*. 1 vol. in-8, avec 565 gravures. 2° édit. 9 fr.
Les exercices physiques et le développement intellectuel, par A. MOSSO, professeur à l'Université de Turin. 1 vol. in-8. 6 fr.

PHILOSOPHIE SCIENTIFIQUE

* Le Cerveau et ses fonctions, par J. LUYS, membre de l'Académie de médecine, médecin de la Charité. 1 vol. in-8, avec fig. 7° édit. 6 fr.
* Le Cerveau et la Pensée chez l'homme et les animaux, par CHARLTON BASTIAN, prof. à l'Univ. de Londres. 2 v. in-8, av. 184 fig. 2° édit. 12 fr.

Les Maladies de l'orientation et de l'équilibre, par J. GRASSET, professeur à la Faculté de médecine de Montpellier. 1 vol. in-8, avec gravures. 6 fr.
* Le Crime et la Folie, par H. MAUDSLEY, prof. à l'Univ. de Londres. In-8, 5° éd. 6 fr.
* L'Esprit et le Corps, considérés au point de vue de leurs relations, suivi d'études sur les *Erreurs généralement répandues au sujet de l'esprit*, par Alex. BAIN, prof. à l'Université d'Aberdeen (Écosse). 1 v. in-8. 6° éd. 6 fr.
* Théorie scientifique de la sensibilité : le *Plaisir* et la *Douleur*, par Léon DUMONT. 1 vol. in-8. 3° édit. 6 fr.
* La Matière et la Physique moderne, par STALLO, précédé d'une préface par M. Ch. FRIEDEL, de l'Institut. 1 vol. in-8. 2° édit. 6 fr.
Le Magnétisme animal, par Alf. BINET et Ch. FÉRÉ. 1 vol. in-8, avec figures dans le texte. 4° édit. 6 fr.
* L'Intelligence des animaux, par ROMANES. 2 v. in-8. 2° éd. précédée d'une préface de M. E. PERRIER, directeur du Muséum d'histoire naturelle. 12 fr.
* L'Évolution des mondes et des sociétés, par C. DREYFUS. In-8. 6 fr.
* L'Évolution régressive en biologie et en sociologie, par DEMOOR, MASSART et VANDERVELDE, prof. des Univ. de Bruxelles. 1 v. in-8, avec grav. 6 fr.
* Les Altérations de la personnalité, par Alf. BINET, directeur du laboratoire de psychologie à la Sorbonne. In-8, avec gravures. 6 fr.
Les lois naturelles, *réflexions d'un biologiste sur les sciences*, par F. LE DANTEC, chargé du cours d'embryologie générale à la Sorbonne. 1 vol. in-8, avec gravures. 6 fr.

ANTHROPOLOGIE

* L'Espèce humaine, par A. DE QUATREFAGES, de l'Institut, professeur au Muséum d'histoire naturelle de Paris. 1 vol. in-8. 12° édit. 6 fr.
* Ch. Darwin et ses précurseurs français, par A. DE QUATREFAGES. 1 v. in-8. 2° édition. 6 fr.
* Les Émules de Darwin, par A. DE QUATREFAGES, avec une préface de M. EDM. PERRIER, de l'Institut, et une notice sur la vie et les travaux de l'auteur par E.-T. HAMY, de l'Institut. 2 vol. in-8. 12 fr.
* Les Singes anthropoïdes et leur organisation comparée à celle de l'homme, par R. HARTMANN, prof. à l'Univ. de Berlin. 1 vol. in-8, avec 63 fig. 6 fr.
* L'Homme préhistorique, par Sir JOHN LUBBOCK, membre de la Société royale de Londres. 2 vol. in-8, avec 228 gravures dans le texte. 3° édit. 12 fr.
La France préhistorique, par E. CARTAILHAC. In-8, avec 150 gr. 2° édit. 6 fr.
* L'Homme dans la Nature, par TOPINARD, ancien secrétaire général de la Société d'anthropologie de Paris. 1 vol. in-8, avec 101 gravures. 6 fr.
* Les Races et les Langues, par André LEFÈVRE, professeur à l'École d'anthropologie de Paris. 1 vol. in-8. 6 fr.
* Le centre de l'Afrique. Autour du Tchad, par P. BRUNACHE, administrateur à Aïn-Fezza (Algérie). 1 vol. in-8, avec gravures. 6 fr.
* Formation de la Nation française, par G. de MORTILLET, professeur à l'École d'anthropologie. In-8, avec 150 grav. et 18 cartes. 2° édit. 6 fr.

ZOOLOGIE

* La Descendance de l'homme et le Darwinisme, par O. SCHMIDT, professeur à l'Université de Strasbourg. 1 vol. in-8, avec figures. 6° édit. 6 fr.
* Les Mammifères dans leurs rapports avec leurs ancêtres géologiques, par O. SCHMIDT. 1 vol. in-8, avec 51 figures dans le texte. 6 fr.
* Les Sens et l'instinct chez les animaux, et principalement chez les insectes, par Sir JOHN LUBBOCK. 1 vol. in-8, avec grav. 6 fr.
* L'Écrevisse, introduction à l'étude de la zoologie, par Th.-H. HUXLEY, membre de la Société royale de Londres. 1 vol. in-8, avec 82 grav. 6 fr.
* Les Commensaux et les Parasites dans le règne animal, par P.-J. VAN BENEDEN, professeur à l'Université de Louvain (Belgique). 1 vol. in-8, avec 82 figures dans le texte. 3° édit. 6 fr.
* La Philosophie zoologique avant Darwin, par EDMOND PERRIER, de l'Institut, directeur du Muséum. 1 vol. in-8. 2° édit. 6 fr.
* Darwin et ses précurseurs français, par A. de QUATREFAGES, de l'Institut. 1 vol. in-8. 2° édit. 6 fr.
* La Culture des mers en Europe (Pisciculture, piscifacture, ostréiculture), par G. ROCHÉ, insp. gén. des pêches maritimes. In-8, avec 81 grav. 6 fr.

BOTANIQUE — GÉOLOGIE

* L'Évolution du règne végétal, par G. DE SAPORTA et MARION, prof. à la Faculté des sciences de Marseille :
* I. Les Cryptogames. 1 vol. in-8, avec 85 figures dans le texte. 6 fr.
II. Les Phanérogames. 2 vol. in-8, avec 136 fig. dans le texte. 12 fr.

* **Les Champignons,** par Cooke et Berkeley. 1 v. in-8, avec 110 fig. 4ª éd.   6 fr.

* **Les Volcans et les Tremblements de terre,** par Fuchs, prof. à l'Univ. de Heidelberg. 1 vol. in-8, avec 36 fig. 5ª éd. et une carte en couleurs. 6 fr.

* **La Période glaciaire,** principalement en France et en Suisse, par A. Falsan. 1 vol. in-8, avec 105 gravures et 2 cartes hors texte. *Épuisé.*

* **Les Régions invisibles du globe et des espaces célestes,** par A. Daubrée, de l'Institut. 1 vol. in-8, 2ª édit., avec 89 gravures.   6 fr.

* **Le Pétrole, le Bitume et l'Asphalte,** par M. Jaccard, professeur à l'Académie de Neuchâtel (Suisse). 1 vol. in-8, avec figures.   6 fr.

* **L'Origine des plantes cultivées,** par A. de Candolle, correspondant de l'Institut. 1 vol. in-8. 4ª édit.   6 fr.

* **Introduction à l'étude de la botanique** (*le Sapin*), par J. de Lanessan, professeur agrégé à la Faculté de médecine de Paris. 1 vol. in-8. 2ª édit., avec figures dans le texte.   6 fr.

* **Microbes, Ferments et Moisissures,** par le docteur L. Trouessart. 1 vol. in-8, avec 108 figures dans le texte. 2ª édit.   6 fr.

* **La Géologie comparée,** par Stanislas Meunier, professeur au Muséum. 1 vol. in-8, avec figures.   6 fr.

* **La Géologie expérimentale,** par *le même.* 1 vol. in-8, avec fig.   6 fr.

* **La Géologie générale,** par *le même.* 1 vol. in-8, avec fig.   6 fr.

* **Les Végétaux et les milieux cosmiques** (adaptation, évolution), par J. Costantin, prof. au Muséum. 1 vol. in-8, avec 171 figures.   6 fr.

* **La Nature tropicale,** par *le même.* 1 vol. in-8, avec fig.   6 fr.

CHIMIE

* **Les Fermentations,** par P. Schutzenberger, memb. de l'Institut. 1 v. in-8, avec fig. 6ª édit.   6 fr.

* **La Synthèse chimique,** par M. Berthelot, secrétaire perpétuel de l'Académie des sciences. 1 vol. in-8. 8ª édit.   6 fr.

* **La Théorie atomique,** par Ad. Wurtz, membre de l'Institut. 1 vol. in-8. 8ª édit., précédée d'une introduction sur *la Vie et les Travaux* de l'auteur, par M. Ch. Friedel, de l'Institut.   5 fr.

* **La Révolution chimique** (*Lavoisier*), par M. Berthelot. 1 v. in-8. 2ª éd. 6 fr.

* **La Photographie et la Photochimie,** par H. Niewenglowski. 1 vol., avec gravures et une planche hors texte.   6 fr.

* **L'eau dans l'alimentation,** par le Dr F. Malméjac. 1 v. in-8, av. grav. 6 fr.

ASTRONOMIE — MÉCANIQUE

* **Histoire de la Machine à vapeur, de la Locomotive et des Bateaux à vapeur,** par R. Thurston, professeur à l'Institut technique de Hoboken, près de New-York, revue, annotée et augmentée d'une introduction par M. Hirsch, professeur à l'École des ponts et chaussées de Paris. 2 vol. in-8, avec 160 figures et 16 planches hors texte. 3ª édit.   12 fr.

* **Les Étoiles,** par le P. A. Secchi, directeur de l'Observatoire du Collège romain. 2 vol. in-8, avec 68 figures et 16 planches. 2ª édit.   12 fr.

* **Les Aurores polaires,** par A. Angot, membre du Bureau central météorologique de France. 1 vol. in-8, avec figures.   6 fr.

PHYSIQUE

La Conservation de l'énergie, par Balfour Stewart, prof. de physique au collège Owens de Manchester (Angleterre). 1 vol. in-8, avec fig. 6ª édit. 6 fr.

* **Les Glaciers et les Transformations de l'eau,** par J. Tyndall. 1 vol. in-8, avec fig. et 8 planches hors texte. 5ª édit.   6 fr.

* **La Matière et la Physique moderne,** par Stallo, précédé d'une préface par Ch. Friedel, membre de l'Institut. 1 vol. in-8. 3ª édit.   6 fr.

THÉORIE DES BEAUX-ARTS

* **Les Débuts de l'art,** par E. Grosse. Traduit de l'allemand par A. Dirr. Préface de L. Marillier, 1 vol. in-8, avec gravures.   6 fr.

* **Le Son et la Musique,** par P. Blaserna, prof. à l'Université de Rome, suivi d'une étude sur le même sujet, par Helmholtz, prof. à l'Université de Berlin. 1 vol. in-8, avec 41 fig. 5ª éd.   6 fr.

* **Principes scientifiques des Beaux-Arts,** par E. Brucke, professeur à l'Université de Vienne. 1 vol. in-8, avec fig. 4ª édit.   6 fr.

* **Théorie scientifique des couleurs** et leurs applications aux arts et à l'industrie, par O. N. Rood, professeur à Colombia-Collège de New-York. 1 vol. in-8, avec 130 figures et une planche en couleurs.   6 fr.

* **La Céramique ancienne et moderne,** par MM. Guignet, directeur des teintures à la Manufacture des Gobelins, et Garnier, directeur du Musée de la Manufacture de Sèvres. 1 vol. in-8, avec grav.   6 fr.

Histoire de l'habillement et de la parure, par L. Bourdeau. 1 v. in-8. 6 fr.

LIVRES SCIENTIFIQUES
(par ordre alphabétique de noms d'auteurs)
NON CLASSÉS DANS LES SÉRIES PRÉCÉDENTES
(MÉDECINE — SCIENCES)

AGASSIZ. **De l'espèce et des classifications en zoologie.**
1 vol. in-8.   5 fr.

ANTHEAUME (A.). **De la toxicité des alcools,** prophylaxie de
l'alcoolisme. 1 vol. in-8. 1897.   3 fr. 50

ARMAIGNAC. **Études cliniques et anatomo-pathologiques sur
les ophtalmoplégies.** In-8.   1 fr. 50
— **Mémoires et observations d'ophtalmologie pratique.**
1 vol. in-8, avec gravures.   12 fr.

AVIRAGNET. **De la tuberculose chez les enfants.** in-8.   4 fr.

AXENFELD et HUCHARD. **Traité des névroses.** 2e édition, par HENRI
HUCHARD, médecin des hôpitaux. 1 fort vol. in-8. 1882.   20 fr.

BARTELS. **Les maladies des reins,** préface et notes du professeur
LÉPINE. 1 vol. in-8, avec fig.   7 fr. 50

BEAUREGARD (H.). **Les insectes vésicants.** 1 vol. gr. in-8, avec
34 planches et 44 gravures.   25 fr.

BELZUNG. **Recherches sur l'ergot de seigle.** In-8.   1 fr. 50

BÉRAUD (B.-J.). **Atlas complet d'anatomie chirurgicale topo-
graphique,** composé de 109 planches sur acier, avec texte. In-4.
1886. Prix : fig. noires, relié. 60 fr. — Fig. color. relié.   120 fr.

BERNARD (Claude). **Les propriétés des tissus vivants.** In-8. 2 fr.50

BERTAUX (A.). **L'humérus et le fémur,** considérés dans les espèces,
dans les races humaines, selon le sexe et selon l'âge. 1 vol. in-8,
avec 89 figures en noir et en couleurs dans le texte. 1891.   8 fr.

BOECKEL (Jules). **Sur les kystes hydatiques du rein au point
de vue chirurgical.** 1 vol. in-8.   2 fr.
— **Des kystes du pancréas.** In-8. 1891.   3 fr.
— **Considérations sur la résection du genou,** d'après 140 opérations. 1 br. in-8. 1892.   1 fr. 25

BOREL (V.). **Nervosisme et neurasthénie.** 1894. 1 vol. in-8. 3 fr.

BOURDEAU (Louis). **Théorie des sciences.** 2 vol. in-8.   20 fr.
— **La conquête du monde animal.** In-8.   5 fr.
— **La conquête du monde végétal.** In-8.   5 fr.

BOURDET (Eug.). **Des maladies du caractère.** In-8.   5 fr.
— **Principes d'éducation positive.** In-18.   3 fr. 50
— **Vocabulaire des principaux termes de la philosophie
positive.** 1 vol. in-18.   3 fr. 50

BOUSREZ (L.). **L'Anjou aux âges de la pierre et du bronze.**
Grand in-8, avec pl. hors texte. 1897.   3 fr. 50

BRAULT. **Contribution à l'étude des néphrites.** In-8.   2 fr.

BRIERRE DE BOISMONT. **Du suicide et de la folie-suicide.** 2e édition. 1 vol. in-8.   2 fr. 25

BUNGE (C.-O.). **Principes de psychologie individuelle et sociale.**
1903. 1 vol. in-16.   3 fr.

BURDON-SANDERSON, FOSTER et LAUDER BRUNTON. **Manuel du
laboratoire de physiologie.** In-8, avec 184 figures.   7 fr.

CHARCOT et CORNIL. **Contributions à l'étude des altérations
anatomiques de la goutte.** In-8.   1 fr. 50

CORNIL (V.). **Découvertes de Pasteur et leurs applications à
l'anatomie et à l'histologie pathologique.** In-8.   1 fr.
— **Des différentes espèces de néphrites.** In-8.   3 fr. 50
— **Leçons d'anatomie pathologique,** professées pendant le premier
semestre de l'année 1883-1884. 1 vol. in-8.   4 fr.

COURMONT (Fr.). **Le cervelet et ses fonctions.** 1 vol. in-8. 12 fr.
Récomp. par l'Acad. des Sciences (Prix Mège), 1891, *et par l'Acad. de Méd.*, 1892.
— **Le cervelet,** organe psychique et sensitif. In-8. 1 fr. 50
DALLEMAGNE (J.). **Dégénérés et déséquilibrés.** In-8. 12 fr.
DAMASCHINO. **Les maladies des voies digestives** In-8. 1888. 14 fr.
DÉJERINE. **Sur l'atrophie musculaire des ataxiques** (névrite
périphérique des ataxiques), étude clinique et anat.-path. In-8. 3 fr.
DÉJERINE-KLUMPKE (Mme). **Des polynévrites et des paralysies et
atrophies saturnines,** étude clinique et anat.-path. In-8, av. gr. 6 fr.
DEMANGE. **Etude clinique et anatomo-pathologique sur la
vieillesse.** 1 vol. in-8, avec 5 planches hors texte. 4 fr.
DESCHAMPS (d'Avallon). **Compendium de pharmacie pratique.**
Guide du pharmacien établi et de l'élève en cours d'études. 20 fr.
DESPAUX (A.), Inspecteur divisionnaire du travail. **Cause des éner-
gies attractives.** *Magnétisme, Electricité, Gravitation.* 1902.
1 vol. in-8. 5 fr.
— **Genèse de la matière et de l'énergie.** *Formation et fin d'un
monde.* 1900. 1 vol. in-8. 4 fr.
DESPRÉS. **Traité théorique et pratique de la syphilis,** ou infec-
tion purulente syphilitique. 1 vol. in-8. 7 fr.
DUCKWORTH (Sir Dyce). **La goutte,** hygiène et traitement, traduit
de l'anglais par le Dr RODET. Gr. in-8, avec grav. 10 fr.
DURAND DE GROS. **L'idée et le fait en biologie.** In-8. 1 fr. 50
— **Physiologie philosophique.** 1 vol. in-8. 8 fr.
— **Ontologie et psychologie physiologique.** In-18. 3 fr. 50
— **De l'hérédité dans l'épilepsie.** 50 c.
— **Les origines animales de l'homme.** 1 vol. in-8. 5 fr.
— **Genèse naturelle des formes animales.** In-8. 1 fr. 25
DURAND-FARDEL. **Traité pratique des maladies chroniques.**
2 vol. gr. in-8. 20 fr.
— **Traité des eaux minérales** de la France et de l'étranger,
et les maladies chroniques. 3e édition. In-8. 10 fr.
FERRIER. **Les fonctions du cerveau.** 1 vol. in-8, traduit de l'an-
glais par M. H.-C. de VARIGNY, avec 68 fig. dans le texte. 3 fr.
— **De la localisation des maladies cérébrales,** traduit de
l'anglais par M. H.-C. DE VARIGNY, suivi d'un mémoire de MM. CHAR-
COT et PITRES sur *les Localisations motrices dans les hémisphères de
l'écorce du cerveau.* 1 vol. in-8 et 67 fig. dans le texte. 2 fr.
FERRIÈRE. **L'âme est la fonction du cerveau.** 2 vol. in-12. 7 fr.
— **La matière et l'énergie.** 1 vol. in-12. 4 fr. 50
— **La vie et l'âme.** 1 vol. in-12. 4 fr. 50
— **Les mythes de la Bible.** 1 vol. in-12. 1893. 3 fr. 50
— **Plantes médicinales de la Bourgogne,** emploi et doses.
1892. 1 br. in-18. 1 fr. 75
FIAUX (Louis), ancien membre du Conseil municipal de Paris. **La
prostitution cloîtrée.** 1902. 1 vol., in-18. 3 fr.
GALEZOWSKI. **Desmarres,** sa vie et ses œuvres. In-8. 2 fr.
— **Les troubles oculaires dans l'ataxie locomotrice.** In-8. 1 fr. 50
— **Sur l'emploi de l'aimant pour l'extraction des corps
étrangers métalliques de l'œil.** In-8. 2 fr.
GILBERT (Dr V.). **Pourquoi et comment on devient phtisique.**
1 vol. in-12. 1896. 5 fr.
GIRARD (H.). **Le chlorure d'éthyle en anesthésie générale.**
In-8. 1 fr. 50
GLATZ (P.). **Dyspepsie nerveuse et neurasthénie.** In-12. 4 fr.
GOLDSCHMIDT (D.). **De la vaccine animale.** In-8. 1 fr.
HERRERA (A.-L.). **Recueil des lois de la biologie générale.**
1 br. in-8. 1898. 2 fr.

HIRIGOYEN. **De l'influence des déviations de la colonne verté-brale sur la conformation du bassin.** In-8. 4 fr.

HIRTH (G.). **Les localisations cérébrales en psychologie.** *Pourquoi sommes-nous distraits?* 1 vol. in-18. 1895. 2 fr.
— **La vue plastique, fonction de l'écorce cérébrale,** trad. de l'all. par L. ARRÉAT. Gr. in-8, avec fig. et 34 pl. hors texte. 8 fr.

Hommage à M. Chevreul à l'occasion de son centenaire (31 août 1886). In-4, contenant sept mémoires de MM. BER-THELOT, DEMARÇAY, DUJARDIN-BEAUMETZ, A. GAUTIER, GRIMAUX, Georges POUCHET et Ch. RICHET. 1 fr. 50

HUCHARD (H.). **Étude critique sur la pathogénie de la mort subite dans la fièvre typhoïde.** 1 br. in-8. 1 fr. 25

HUXLEY. **La physiographie,** introduction à l'étude de la nature, traduit et adapté par M. G. LAMY. 1 vol. in-8, avec figures dans le texte et 2 planches en couleurs, broché. 2e édition. 8 fr.

JACQUES. **L'intubation du larynx.** In-8. 2 fr. 50

JAMAIN et F. TERRIER. **Manuel de pathologie et de clinique chirurgicales.** 3e édition.

TOME PREMIER. 1 fort vol. in-18. 8 fr. — *Maladies qui peuvent se montrer dans toutes ou presque toutes les parties du corps : lésions* inflammatoires, traumatiques; lésions consécutives au traumatisme ou à l'inflammation. Maladies virulentes. Tumeurs. — *Affections des divers tissus et systèmes organiques:* Affections du tissu cellulaire, maladies des bourses séreuses. Affections de la peau, des veines, des artères, des ganglions lymphatiques, des nerfs, des muscles, des tendons, des os.

TOME DEUXIÈME. 1 vol. in-18. 8 fr. — Maladies des articulations. — *Affections des régions et appareils organiques:* affections du crâne et du cerveau, du rachis, maladies de l'appareil olfactif, de l'appareil auditif, de l'appareil de la vision.

TOME TROISIÈME, p. MM. TERRIER, BROCA et HARTMANN. 1 vol. in-18. 8 fr. Malad. de l'appareil de la vision (suite), de la face, des lèvres, des dents.

TOME QUATRIÈME, par MM. TERRIER, BROCA et HARTMANN. 1 vol. in-18. 8 fr. — Maladies des gencives, des maxillaires, de la langue, de la région parotidienne, des amygdales, de l'œsophage, des voies aériennes, du larynx, de la trachée, du corps thyroïde, du cou, de la poitrine, du sein, de la mamelle, etc.

JANOT. **Contribution à l'étude des rapports morbides de l'œil et de l'utérus, œil utérin.** 1892. 1 br. in-8. 2 fr. 50

KOVALEVSKY. **L'ivrognerie,** causes, traitement. In-8. 1 fr. 50

LANCEREAUX. **Traité historique et pratique de la syphilis.** 2e édition. 1 vol. gr. in-8, avec fig. et planches coloriées. 17 fr.

LEFEBVRE. **Des déformations ostéo-articulaires,** consécutives à des maladies de l'appareil pleuro-pulmonaire (ostéo-arthropathie hypertrophiante de Marie). 1 vol. in-8, avec gravures. 1891. 4 fr. 50

LE FORT. **La chirurgie militaire** et les Sociétés de secours en France et à l'étranger. In-8, avec gravures. 10 fr.

LE NOIR. **Histoire naturelle élémentaire.** In-12, avec grav. 5 fr.

LÉPINE. **Le ferment glycolitique et la pathogénie du diabète.** In-8. 1891. 1 fr.

MAC CORMAC. **Manuel de chirurgie antiseptique,** traduit de l'anglais par le docteur LUTAUD. 1 fort vol. in-8. 2 fr.

MANNHEIMER (M.). **Le gâtisme au cours des états psychopa-thiques.** 1 vol. in-8. 1897. 3 fr. 50

MAREY. **Du mouvement dans les fonctions de la vie.** 1 vol. in-8, avec 200 figures dans le texte. 3 fr.

MARREL (Dr Paul). **Les phobies,** essai sur la psychologie pathologique de la peur. 1 vol. in-8. 1895. 1 fr. 50

MÉNIÈRE. **Cicéron médecin.** Étude médico-littéraire. In-18. 4 fr. 50
— **Les consultations de madame de Sévigné.** Étude médico-
littéraire. 1 vol. in-8.   3 fr.
— **Du traitement de l'otorrhée purulente chronique,** consi-
dérations sur la maladie de Ménière. In-18.   1 fr. 25
— **Les moyens thérapeutiques employés dans les maladies
de l'oreille.** Gr. in-8.   2 fr.
MOREL. **Traité des champignons.** In-18, avec grav. col.   8 fr.
MORIN (Ch.). **Structure anatomique et nature des individua-
lités du système nerveux, causes réflexes physio-psychiques.**
1892. 1 vol. in-8.   4 fr. 50
MOURAO-PITTA. **Madère,** station médicale fixe. In-8, cart.   2 fr.
MURCHISON. **De la fièvre typhoïde.** 1 vol. in-8.   3 fr.
NÉLATON. **Éléments de pathologie chirurgicale,** par A. Nélaton,
membre de l'Institut, prof. de clinique à la Faculté de médecine, etc.
    Seconde édition complètement remaniée par MM. les docteurs JAMAIN,
PÉAN, DESPRÉS, GILLETTE et HORTELOUP, chirurgiens des hôpitaux.
Ouvrage complet en 6 vol. gr. in-8, avec 795 fig. dans le texte. 32 fr.
    On vend séparément les volumes :
     TOME PREMIER, revu par le docteur Jamain. *Considérations géné-
rales sur les opérations. — Affections pouvant se montrer dans toutes
les parties du corps et dans les divers tissus.* 1 fort v. gr. in-8. 3 fr.
     TOME DEUXIÈME, revu par le docteur Péan. *Affections des os et des
articulations.* 1 fort vol. gr. in-8, avec 288 fig. dans le texte.   5 fr.
     TOME TROISIÈME, revu par le docteur Péan. *Affections des articu-
lations* (suite), *affections de la tête, des organes de l'olfaction.* 1 vol.
gr. in-8, avec 148 figures.   4 fr. 50
     TOME QUATRIÈME, revu par le docteur Péan. *Affections des appa-
reils de l'ouïe et de la vision, de la bouche, du cou, du corps
thyroïde, du larynx, de la trachée et de l'œsophage.* 1 vol. gr. in-8,
avec 208 figures dans le texte. — Ne se vend pas séparément.
     TOME CINQUIÈME, revu par les docteurs Péan et Després. *Affections
de la poitrine, de l'abdomen, de l'anus, du rectum et de la région
sacro-coccygienne.* 1 vol. gr. in-8, avec 61 fig. dans le texte. 4 fr. 50
     TOME SIXIÈME, par les docteurs Després, Gillette et Horteloup.
*Affections des organes génito-urinaires de l'homme. — Affections
des organes génito-urinaires de la femme. — Affections des membres.* 1 vol. gr. in-8, avec 90 figures.   10 fr.
NICAISE. **Des lésions de l'intestin dans les hernies.** In-8. 3 fr.
ONIMUS et LEGROS. **Traité d'électricité médicale.** 1 fort vol.
in-8, avec 275 fig. dans le texte. 2ᵉ éd. par le Dʳ ONIMUS.   17 fr.
PAGET (Sir James). **Leçons de clinique chirurgicale.** Introduction
du prof. VERNEUIL. 1 vol. gr. in-8.   8 fr.
PANSIER. **Les manifestations oculaires de l'hystérie, œil hys-
térique.** 1892. 1 vol. in-8, 3 pl. hors texte.   4 fr.
PARISOT (P.). **Études d'hygiène sur Nancy** et le département de
Meurthe-et-Moselle. 1893. In-8, avec 2 pl.   1 fr. 50
PETIT (L.-H.). **Des tumeurs gazeuses du cou.** 1 vol. in-8. 3 fr.
PETIT (Raymond). **De la tuberculose des ganglions du cou.**
1 vol. in-8. 1897.   4 fr.
PHILIPS (J.-P.) (DURAND DE GROS). **Influence réciproque de la
pensée, de la sensation et des mouvements végétatifs.**
In-8.   1 fr.
PONCET. **De l'hématocèle péri-utérine.** In-8 (thèse d'agr. 1878). 4 fr.
PORAK (Ch.). **Sur l'ictère des nouveau-nés et le moment où il
faut pratiquer la ligature du cordon ombilical.** In-8.   2 fr.
— **De l'influence réciproque de la grossesse et des maladies
de cœur.** 1 vol. in-8.   4 fr.

POSKIN (A.). **Préjugés populaires relatifs à la médecine et à l'hygiène.** In-18. 1898. 1 fr. 50

POUCHET (G.). **Charles Robin, sa vie et son œuvre.** In-8. 3 fr. 50
— **La biologie aristotélique.** 1 vol. in-8, 3 fr. 50

PRÉAUBERT (E.), professeur au lycée d'Angers. **La vie, mode de mouvement.** 1 vol. in-8. 1897. 5 fr.

RETTERER (Ed.). **Développement du squelette des extrémités et des productions cornées chez les mammifères.** 1 vol. in-8, avec 4 pl. hors texte. 4 fr.

RICHARD. **Pratique journalière de la chirurgie.** 1 vol. gr. in-8, avec 215 grav. 2e édit. 5 fr.

RICHET (Ch.). **Structure des circonvolutions cérébrales** (Thèse d'agrégation, 1878). In-8. 5 fr.

RIETSCH. **Reproduction des cryptogames.** In-8, avec fig. 5 fr.

ROISEL. **Les Atlantes.** Études antéhistoriques. In-8. 7 fr.

ROMIÉE. **De l'amblyopie alcoolique.** In-8. 2 fr.

SABOURIN (Ch.). **Anatomie normale et pathologique de la glande biliaire de l'homme.** In-8, avec 233 figures. 8 fr.

SANNÉ. **Étude sur le croup après la trachéotomie,** évolution normale, soins consécutifs, complications. In-8. 4 fr.

SERGUEYEFF. **Physiologie de la veille et du sommeil,** le sommeil et le système nerveux. 2 forts vol. in-8. 20 fr.

SIMON (P.). **Des fractures spontanées.** 1 vol. in-8. 4 fr.

SŒLBERG-WELLS. **Traité pratique des maladies des yeux.** 1 fort vol. gr. in-8, avec figures. Traduit de l'anglais. 4 fr. 50

TARDIEU. **Manuel de pathologie et de clinique médicales.** 4e édition, corrigée et augmentée. 1 vol. gr. in-18. 2 fr. 50

TAYLOR. **Traité de médecine légale,** traduit sur la 7e édition anglaise, par M. le docteur HENRI COUTAGNE. 1 vol. gr. in-8. 4 fr. 50

TERRIER (F). **De l'œsophagotomie externe.** In-8. 3 fr. 50
— **Des anévrismes cirsoïdes.** In-8. 3 fr.
— **Éléments de pathologie chirurgicale générale.** 1er fascicule: *Lésions troumatiques et leurs complications.* 1 v. in-8. 7 fr. 2e fascicule : *Complications des lésions traumatiques. Lésions inflammatoires.* 1 vol. in-8. 6 fr.

THÉVENIN et DE VARIGNY. **Dictionnaire abrégé des sciences physiques et naturelles.** In-18. 5 fr.

THULIÉ. **La manie raisonnante du docteur Campagne.** In-8. 2 fr.

TRUC. **Essai sur la chirurgie du poumon.** 1 vol. in-8. 2 fr. 50

VARIGNY (H. de). **Recherches expérimentales sur l'excitabilité électrique des circonvolutions cérébrales et sur la période d'excitation latente du cerveau.** In-8. 2 fr.

VASLIN (L.). **Études sur les plaies par armes à feu.** 1 vol. gr. in-8 de 225 pages, accompagné de 22 pl. en lithogr. 6 fr.

VIRCHOW. **Pathologie des tumeurs.** TOME I, grand in-8, avec 106 fig. 3 fr. 75. — TOME II, avec 74 fig. 3 fr. 75. — TOME III, avec 49 fig. 3 fr. 75. — TOME IV (1er fasc), avec fig. 1 fr. 50

WIET. **De l'élongation des nerfs.** In-8, avec figures. 4 fr.

YVERT. **Traité pratique et clinique des blessures du globe de l'œil.** Introduction du Dr GALEZOWSKI. 1 vol. gr. in-8. 12 fr.

PUBLICATIONS PÉRIODIQUES
Les Abonnements partent du 1ᵉʳ Janvier

Revue de médecine
Directeurs : MM. les Professeurs BOUCHARD, de l'Institut ;
CHAUVEAU, de l'Institut ; LANDOUZY ; LÉPINE, correspondant de l'Institut.
Rédacteurs en chef : MM. LANDOUZY et LÉPINE.
Secrétaire de la rédaction : Dʳ JEAN LÉPINE.

Revue de chirurgie
Directeurs : MM. les Professeurs FÉLIX TERRIER, BERGER, PONCET et QUÉNU.
Rédacteur en chef : M. FÉLIX TERRIER.
24ᵉ année, 1904

La *Revue de médecine* et la *Revue de chirurgie*, qui constituent la 2ᵉ série de la *Revue mensuelle de médecine et de chirurgie*, paraissent tous les mois; chaque livraison de la *Revue de médecine* contient de 5 à 6 feuilles grand in-8; chaque livraison de la *Revue de chirurgie* contient de 8 à 9 feuilles grand in-8.

PRIX D'ABONNEMENT :

Pour la Revue de Médecine		Pour la Revue de Chirurgie	
Un an, Paris......................	20 fr.	Un an, Paris......................	30 fr.
Un an, départements et étranger.....	23 fr.	Un an, départements et étranger....	33 fr.
La livraison : 2 francs		La livraison : 3 francs	

Les **deux Revues** réunies : un an, Paris, 45 francs ; départements et étranger, 50 francs.

Les quatre années de la *Revue mensuelle de médecine et de chirurgie* (1877, 1878, 1879 et 1880) se vendent chacune séparément 20 francs ; la livraison, 2 francs.

Les années écoulées de la *Revue de médecine* se vendent 20 francs chacune ; les dix-huit premières années de la *Revue de chirurgie* se vendent le même prix et, à partir de l'année 1899, 30 francs chacune.

Journal de l'Anatomie
et de la Physiologie normales et pathologiques
DE L'HOMME ET DES ANIMAUX
Fondé par Ch. ROBIN, continué par Georges POUCHET
Dirigé par MATHIAS DUVAL,
Membre de l'Académie de médecine, Professeur à la Faculté de médecine de Paris.
Avec le concours de MM. les Professeurs RETTERER et TOURNEUX.
40ᵉ année, 1904

Ce journal paraît tous les deux mois et a pour objet : la *tératologie*, la *chimie organique*, l'*hygiène*, la *toxicologie* et la *médecine légale* dans leurs rapports avec l'anatomie et la physiologie, les applications de l'anatomie et de la physiologie à la *pratique de la médecine, de la chirurgie et de l'obstétrique*.

Il forme à la fin de l'année un beau volume grand in-8, de 700 pages environ, avec de nombreuses gravures dans le texte et des planches lithographiées en noir et en couleur hors texte.

Un an : pour Paris, 30 francs ; pour les départements et l'étranger, 33 francs. — La livraison, 6 francs.

La première année, 1864, est épuisée ; les suivantes, 1865 à 1869, 1870-71, 1872 à 1877, sont en vente au prix de 20 francs l'année, et de 3 fr. 50 la livraison. Les années ultérieures, depuis 1878, coûtent 30 francs chacune, la livraison, 6 francs.

Revue de l'École d'Anthropologie de Paris
RECUEIL MENSUEL PUBLIÉ PAR LES PROFESSEURS
(14ᵉ année, 1904)

La **Revue de l'École d'Anthropologie de Paris** paraît le 15 de chaque mois.
Chaque livraison forme un cahier de deux feuilles in-8 raisin de 32 pages.

Abonnement : Un an (à partir du 15 janvier), pour tous pays, 10 francs ; la livraison, 1 franc.

Journal de Psychologie
normale et pathologique

DIRIGÉ PAR LES DOCTEURS

Pierre JANET   et   G. DUMAS

Professeur de psychologie au Collège de France.   Chargé de cours à la Sorbonne.

Paraît tous les deux mois, par fascicules de 100 pages environ.

ABONNEMENT : Un an, 14 fr.

Programme du Journal de Psychologie

Les travaux concernant les études psychologiques sont aujourd'hui disséminés, en France et à l'étranger, dans un grand nombre de recueils spéciaux; les uns ne sont lus que par les philosophes, les autres que par les médecins, les jurisconsultes, les psychologues de l'éducation ou les sociologues. Il a paru important de grouper les analyses de ces divers travaux dans un seul journal qui pourra devenir une sorte de *Centralblatt* pour tous ceux qui s'intéressent aux études de psychologie normale et pathologique. Les médecins et en particulier les aliénistes y trouveront toutes les études et les recherches faites par les psychologues de laboratoire et les physiologistes; ceux-ci, à leur tour, y trouveront toutes les observations pathologiques indispensables pour leurs études. Un chapitre spécial tiendra le lecteur au courant des recherches curieuses entreprises aujourd'hui de tous côtés sur ces phénomènes dits supranormaux, situés sur les frontières de la science.

Une première partie du *Journal*, la plus courte, rapporte des expériences pathologiques et des observations relatives aux psychoses et aux névroses, particulièrement intéressantes pour l'étude des problèmes actuels de la psychologie.

Recueil d'ophtalmologie

Dirigé par MM. les docteurs GALEZOWSKI et CHAUVEL.

Mensuel. — 3ᵉ série. — 24ᵉ année, 1904. — Abonnement : Un an, France et étranger, 20 francs.

Revue de thérapeutique médico-chirurgicale

Publiée sous la direction de MM. les professeurs BOUCHARD, GUYON, LANNELONGUE, LANDOUZY et FOURNIER. — Rédacteur en chef : M. le docteur RAOUL BLONDEL.

71ᵉ année, 1904

Paraît les 1ᵉʳ et 15 de chaque mois. — Abonnement : Un an, France, 12 francs; étranger, 13 francs.

Annales des Sciences Psychiques
RECUEIL D'OBSERVATIONS ET D'EXPÉRIENCES
Dirigé par le docteur DARIEX (14ᵉ année, 1904)

Les Annales des Sciences psychiques paraissent tous les deux mois. Chaque livraison forme un cahier de quatre feuilles in-8 de 64 pages.

Abonnement : Un an, du 15 janvier, 12 francs; la livraison, 2 fr. 50.

Revue Médicale de l'Est

PARAISSANT LE 1ᵉʳ ET LE 15 DE CHAQUE MOIS (34ᵉ année, 1904)

Comité de Rédaction : MM. les professeurs BARABAN, BERNHEIM, DEMANGE, GROSS, HERGOTT, HEYDENREICH, SCHMITT, SPILLMANN, de la Faculté de médecine de Nancy.

Rédacteur en chef : M. P. PARISOT, professeur agrégé à la Faculté de médecine de Nancy.

Abonnement : Un an, du 1ᵉʳ janvier, 12 francs. — Pour les étudiants, 6 francs.

Archives italiennes de Biologie

Publiées en français par A. MOSSO, professeur à l'Université de Turin.

Tomes I et II, 1882, 30 francs. — Tomes III à XL (1883 à 1904), chacun 20 francs.

Ces *Archives* paraissent sans périodicité fixe; chaque tome, publié en 3 fascicules, coûte 20 francs, payables d'avance.

TABLE ALPHABÉTIQUE DES NOMS D'AUTEURS

14404. — L.-Imprimeries réunies, 7, rue Saint-Benoît, Paris.

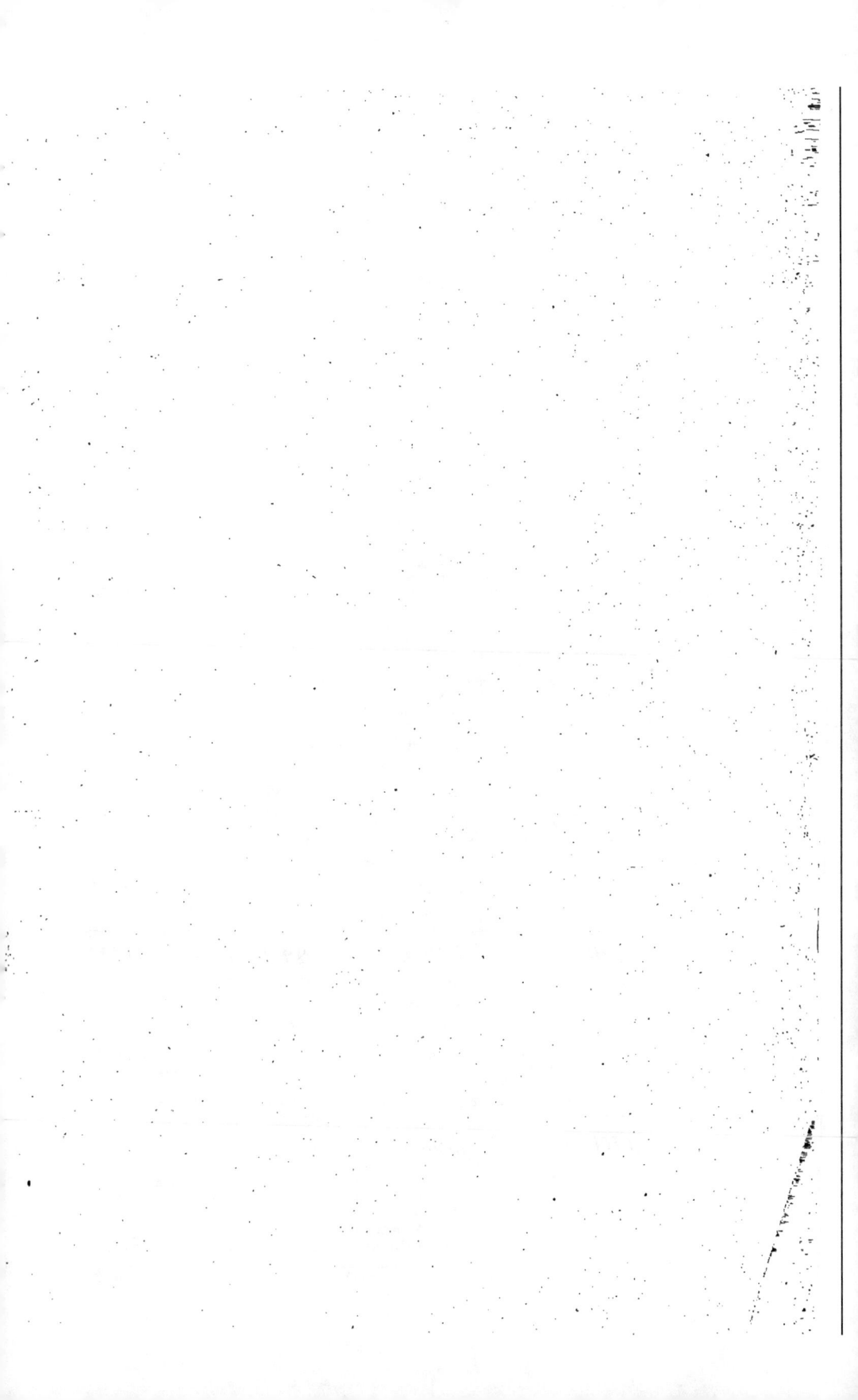

FÉLIX ALCAN, éditeur, 108, boulevard Saint-Germain, Paris, 6e.

BIBLIOTHÈQUE SCIENTIFIQUE INTERNATIONALE
Volumes in-8, cartonnés à l'anglaise, 6, 9 et 12 fr.

EXTRAIT DU CATALOGUE

PHYSIOLOGIE

AUTRES OUVRAGES SUR LA PHYSIOLOGIE

Journal de l'Anatomie et de la Physiologie
normales et pathologiques
DE L'HOMME ET DES ANIMAUX

Fondé par Ch. ROBIN, continué par Georges POUCHET
Dirigé par MATHIAS DUVAL,
Membre de l'Académie de médecine, Professeur à la Faculté de médecine de Paris.
Avec le concours de MM. les Professeurs RETTERER et TOURNEUX.
41e année, 1905
Un an : Paris, **30** francs; départements et l'étranger, **33** francs. — La livraison, **6** francs.

Journal de Psychologie normale et pathologique
DIRIGÉ PAR LES DOCTEURS

Pierre JANET et **G. DUMAS**
Professeur de Psychologie au Collège de France. Chargé de cours à la Sorbonne.
Paraît tous les deux mois par fascicules de 100 pages environ.
2e année, 1905
ABONNEMENT : Un an, **14** fr. — Le numéro, **2** fr. **50**

1344-04. — Coulommiers. Imp. PAUL BRODARD. — 12-04.